Onbezorgd

Tom Winter

Onbezorgd

A.W. Bruna Uitgevers

Oorspronkelijke titel
Lost and Found

Vertaling
Jolanda te Lindert
Omslagbeeld
© Les and Dave Jacobs/Getty Images
Omslagontwerp en -illustraties
Ingrid Bockting

ISBN 978 94 005 0164 5
NUR 302

Dit boek is gedrukt op papier dat het keurmerk van de Forest Stewardship Council (FSC®) mag dragen. Bij dit papier is het zeker dat de productie niet tot bosvernietiging heeft geleid. Een flink deel van de grondstof is afkomstig uit bossen en plantages die worden beheerd volgens de regels van FSC. Van het andere deel van de grondstof is vastgesteld dat hiervoor geen houtkap in de laatste resten waardevol bos heeft plaatsgevonden. Daarom mag dit papier het FSC Mixed Sources label dragen. Voor dit boek is het FSC-gecertificeerde Munkenprint gebruikt. Dit papier is 100% chloor- en zwavelvrij gebleekt en wordt geleverd door Arctic Paper Munkedals AB, Zweden.

Carol

1

Had ik maar een ziekte, dacht Carol. Geen ziekte waar je aan doodgaat of invalide van wordt, nee, dat nou ook weer niet. Ze heeft bijvoorbeeld geen enkele behoefte aan een invalidenparkeerplaats, ondanks de onmiskenbare voordelen ervan. 'Het is waar, veel heb ik niet met mijn leven gedaan,' zou ze willen zeggen, 'maar dat komt door... de lepra.' Ze stelt zich voor dat de mensen dan vol medelijden zouden knikken, misschien even achteruit zouden deinzen. Zelf zou ze elke ochtend met een beter gevoel in de spiegel kunnen kijken. Ze is nu eenmaal een vrouw van middelbare leeftijd die niet veel heeft bereikt omdat ze dat niet kón, doordat ze het veel te druk had met dode huid verwijderen en losgeraakte lichaamsdelen zoeken. 'Ja,' zou ze willen zeggen als ze weer eens te laat op haar werk komt, 'ik weet dat dit me heel vaak overkomt, maar het goede nieuws is dat ik een paar vingers heb teruggevonden!'

Maar helaas, ze kan zich dus niet achter een ziekte verschuilen, of een smoesje ophangen. Haar man is weliswaar een ongelooflijke sukkel, maar dat kun je niet bepaald haar gebrek noemen.

En haar dochter, tja, wat moet ze daar nou over zeggen? Tijdens haar zwangerschap heeft ze elk boek over kinderverzorging gelezen dat ze kon vinden, maar achteraf gezien had ze beter Sun Tzu's *De kunst van het oorlogvoeren* kunnen lezen of een onderzoeksverslag over hondsdolle primaten. Natuurlijk had Carol nooit verwacht dat ze het moederschap zo zou ervaren. Ze had het doodeng gevonden toen haar baby in een tiener veranderde; even griezelig als wanneer ze boven in een achtbaan tot de ontdekking was gekomen dat haar gordel stuk was. Haar dochter wordt binnenkort zeventien en is dus al bijna onafhankelijk, zodat de hele wereld aan haar voeten ligt.

Carol zit in de bus naar huis en staart naar buiten. Het regent echter zo hard dat ze amper iets kan onderscheiden, een vaag beeld van de stad, even fragmentarisch en abstract als haar eigen leven: de omtrek van een straatnaambord of een stukje van een etalage, maar niets compleets, niets waaraan ze kan zien waar ze is.

Dus, na bijna twintig jaar huwelijk, is dit de conclusie: 'Ik ga weg.' Even geniet ze na van die woorden en ze vindt het nu al jammer dat ze die maar één keer zal uitspreken. Doordat al die frustrerende jaren tot die drie woorden zijn gecomprimeerd, krijgen ze een bijzondere, bijna kernbomachtige kracht, alsof ze uit haar mond kunnen glippen en per ongeluk heel Londen met de grond gelijk kunnen maken.

Carol weet wel dat ze het straks tijdens het avondeten tegen haar man zal zeggen, maar nog niet hoe ze het onderwerp moet aansnijden. Wat ze ook weet, is dat het dessert – toevallig haar lievelingstoetje – lekkerder zal zijn dan anders, maar dat ze zal proberen net te doen alsof dit bedoeld is als troost en niet om iets te vieren.

2

Verbazingwekkend hoeveel er binnen een afstand van twintig kilometer kan veranderen. Carol heeft hardlopers weleens een halve marathon zien lopen en die kwamen allemaal met rode wangen en een brede glimlach over de finish. Dat kun je van Londen niet zeggen. In de iets meer dan twintig kilometer tussen Westminster en Croydon wordt Londen gereduceerd van een stad met parken en paleizen tot een onherkenbare buitenwijk, een grijze betonnen puinhoop. Dat Londen bij Croydon eindigt is maar de halve waarheid: je zou kunnen zeggen dat Londen, ontdaan van alle hoop en uitgeput, Croydon binnenkruipt en sterft.

In Carols deel van Croydon wil niemand dat natuurlijk toegeven. De overwerkte middenklasse in die wijk, de mensen die op zaterdagmiddag hun auto in de was zetten en hun vensterbanken met geurkaarsen en porseleinen beeldjes versieren, wil die droom niet opgeven.

Carol loopt van de bushalte naar huis en probeert niet stil te staan bij de gewoonten van haar buren en zich niet te ergeren aan het feit dat de hele wijk een doolhof is van doodlopende straten waardoor het meer weg heeft van een gemeenschappelijke petrischaal dan van een plek om te wonen. Vanavond gaat ze haar banden met deze plek verbreken. Nog even en dan is ze vrij.

'Carol!' Mandy Horton komt uit haar huis gerend, en bij elke beweging rinkelen haar armbanden en namaaksieraden. 'Bob en Tony gaan vanavond darten in de pub en ze willen dat wij ook komen!'

'Wat?'

'Bob en Tony...'

'Nee, ik bedoel, Bob heeft helemaal niet gezegd dat hij vanavond naar de pub wilde!'

'Nou en?' zegt Mandy en ze snuift minachtend.

Even vraagt Carol zich af hoe dat gesnuif zou klinken als ze Mandy's hoofd onder water zou duwen en daar zou houden tot ze slap werd en koud aanvoelde. Dan realiseert ze zich dat Mandy wat zegt.

'... en het is dinsdag. Dan is er toch niks anders te doen.'

Carol kijkt even naar haar boodschappentas waar het toetje bijna boven uitsteekt. 'Ik wilde gewoon even met Bob praten.'

'Nou, dat kun je toch ook in de pub doen, suffie! Wat denk je, zal ik je over een halfuurtje oppikken?' Ze kijkt even naar Carols jurk met iets van medelijden in haar blik. 'Dan kun jij je nog even omkleden.'

Als Carol haar huis binnenkomt, lijkt het alsof er is ingebroken: het is er niet gewoon rommelig, nee, je zou bijna denken dat iemand het pand in haar afwezigheid heeft opgetild en ermee heeft gevoetbald.

Onder aan de trap blijft ze even staan; ze weet zeker dat haar dochter Sophie daar ergens is. Carol vindt het veelzeggend dat een tiener zich in een eenvoudige vierkamerwoning volkomen onzichtbaar kan maken: Sophie zou als guerrillastrijder bij de Vietcong of de Taliban geen gek figuur slaan.

'Sophie?'

Stilte.

Heel even overweegt Carol naar boven te gaan om dag te zeggen – zal ze nóg een poging wagen die moeder-dochterrelatie te creëren waar ze al zeventien jaar naar streeft? – maar ze bedenkt zich. Een gewoon gesprek met Sophie is zo'n zeldzaamheid dat het haar beter lijkt daarmee te wachten tot ze iets belangrijks te zeggen heeft: 'Ja, ik ga weg,' of 'Nee, ik kom niet terug.'

Ze voelt zich schuldig, niet omdat ze dat gesprek zal moeten voeren, maar omdat ze er waarschijnlijk van zal genieten. Het is niet zo dat Sophie een vervelend kind is, maar Carol zou haar gewoon nooit hebben uitgezocht als ze haar bij een postorderbedrijf had kunnen bestellen. De enige eigenschappen van Sophie die ze echt snapt, heeft ze van Bob geërfd: zoals haar vermogen het huis in een chaos te veranderen en te verwachten dat Carol er altijd zal zijn om daar iets aan te doen. De rest vindt Carol absoluut onlogisch en onbegrijpelijk. Zelfs Sophies intelligentie lijkt het gevolg van een productiefout: hoe is het mogelijk dat zij en Bob, met hun genetische materiaal, zo'n slim en leergierig kind hebben verwekt? Die vraag kan Carol niet beantwoorden. Die vraag geeft haar het vage gevoel dat ze doordat ze de dochter heeft gekregen die ze volgens iedereen had willen hebben, helaas niet een kind heeft gekregen dat van haar kan houden en haar nodig heeft.

Met het idee dat het geluid van de koelkast die wordt bijgevuld wel een fysieke reactie zal veroorzaken – zelfs slimme mensen moeten immers eten – begint ze aan het toetje: voorzichtig verwijdert ze de verpakking, ze laat hem op een bord glijden en zet dat in de koelkast, met het luide gekletter van porselein op glas.

In de geladen stilte die hierop volgt, besluit ze vanavond niet naar de pub te gaan. Misschien doet ze niet eens open als Mandy gehuld in haar gebruikelijke parfumwolk aanbelt. Ze neemt zich voor te wachten tot Bob thuiskomt en pas dan hun gezamenlijke leven te vernietigen, net zoals een vlinder zijn cocon moet vernietigen om te kunnen leven.

3

Ja, ze is toch naar de pub gegaan; het gevolg van dezelfde emotionele verlamming die er de oorzaak van is dat ze Bob al jaren wil verlaten, maar daar nooit de moed voor heeft kunnen opbrengen. Daardoor heeft ze haar leven gewijd aan het geluk van anderen, zelfs ten koste van haar eigen geluk. Maar toch, als ze om zich heen kijkt – naar al die mensen die drinken om de nutteloosheid van hun bestaan te vergeten – weet ze dat ze vanavond zal ontsnappen.

Als ze eindelijk naar huis gaan, zijn Carol en Bob ongebruikelijk stil. Ze worden door de kleinsteedse luchtbel van hun driedeursauto afgeschermd van de tragedie van nachtelijk Croydon. Carol weet dat dieren soms al uren of zelfs dagen van tevoren weten dat er een aardbeving zal plaatsvinden. Overkomt Bob dat nu ook? Ze kijkt even naar hem zoals hij achter het stuur zit en ze is ervan overtuigd dat ze, wanneer ze zijn schedel zou kunnen oplichten, alleen maar een lege ruimte zou zien, met hoogstens één rood lampje erin dat oplitst in het donker.

'Ik had niet verwacht dat we vanavond naar de pub zouden gaan,' zegt ze. Het voelt goed om Het Gesprek op gang te brengen, de eerste stap naar haar vrijheid.

'Nee, dat was een spontane actie. Ik... Ik dacht dat het wel goed was om er even uit te zijn.'

'Eigenlijk had ik gehoopt dat we konden praten.'

Bob vraagt gealarmeerd: 'Wat... Jij en ik?'

'Ja Bob, jij en ik.'

Zijn ogen worden groot en even denkt Carol dat hij een soort aneurysma heeft – een gemakkelijk einde van haar huwelijk, dat is waar, maar toch zit ze daar niet op te wachten bij een snelheid van negentig kilometer per uur.

'Bob, gaat het wel goed met je?'

Nog steeds die grote ogen.

'Bob? Bob, zet de auto aan de kant.'

Niets.

'Bob! Stoppen! Nu!'

Tegen de tijd dat de auto stilstaat, zit Bob in elkaar gedoken in zijn stoel. 'Je weet het, hè?'

Carol kijkt hem aan, zo verbijsterd dat ze even vergeet dat ze hem wil verlaten. 'Wat weet ik?'

'Daarom wilde ik dat we vanavond naar de pub gingen.'

'Bob...'

'Weet je, om te ontspannen.'

'Bob...'

'Ik dacht dat het me zou afleiden.'

'Verdorie, zeg dan wat er is!'

Hij begint te huilen. 'Ik heb een knobbeltje. Op mijn bal.'

'O shit, wat erg...' Ze wil hem aanraken, maar haar gordel houdt haar tegen. Ze probeert haar gordel los te maken, kijkt hem aan. 'Ach Bob, het komt wel goed.'

'Ik hoopte dat het vanzelf weg zou gaan, maar...'

Ze pakt zijn handen met een affectie die zelfs haar verbaast. 'Luister, het is oké. Ik begrijp het.'

'Ik dacht gewoon dat een spelletje darts... Ik weet het niet, het klinkt stom natuurlijk, maar ik dacht dat me dat geluk zou brengen.'

'Heb je gewonnen?'

'Nee.' Hij begint nog harder te huilen.

'Bob...'

'Stel dat ik mijn ballen kwijtraak?'

Zelfs nu Carols compassie op de automatische piloot staat, realiseert ze zich dat Bob een man is van in de veertig in een bijna seksloos huwelijk, zodat zijn ballen jaren geleden dus al overbodig zijn geworden.

'En stel dat het is uitgezaaid?' zegt hij, nog meer in paniek.

'Bob, misschien is het niets. Gewoon een bultje.'

Hij dwingt de tranen terug. 'Ik wil niet dood.'

Ze heeft medelijden met hem, met deze volwassen man die nu zo hulpeloos is.

'Morgenochtend gaan we meteen naar de huisarts, oké?'

Ze stelt zich voor dat de arts hun dan zal vertellen dat er niets aan de hand is, dat het niet meer is dan een fysiek teken van Bobs mentale aftakeling. Als ze daarna weer naar huis gaan, zal ze hem vertellen dat ze niet meer van hem houdt, dat ze eigenlijk nooit echt van hem heeft gehouden. Met een grote dosis realiteitszin en een antibioticumkuur zullen zij en zijn knobbeltje voor altijd uit zijn leven verdwijnen.

En toch zit hij hier, kijkt naar haar op, wanhopig, doodsbang. 'God,' zegt hij. 'Wat hou ik toch veel van je.'

'Dat weet ik,' kan ze nog net uitbrengen, maar hij kijkt nog steeds naar haar, een bange man met een onheilspellend knobbeltje; een man voor wie een paar woorden een groot verschil zouden maken. 'En ik...' voegt ze eraan toe, bijna zonder te stotteren, '... ik hou ook van jou.'

Albert

4

'Volgens mij is hij vastgelopen.'

'Ja, dat zie ik, Albert.'

'Misschien een losse postzegel of zo.'

Albert kijkt met een angstige blik in de sorteermachine. Het apparaat doet hem denken aan de Large Hadron Collider die hij op tv heeft gezien, die ondergrondse deeltjesversneller die alles in het heelal zou verklaren. Dit apparaat op de sorteerafdeling van de Royal Mail is natuurlijk veel kleiner – hij is geen zestig kilometer lang en bevindt zich niet onder Zuid-Londen of zo – maar toch geeft hij Albert een ongemakkelijk gevoel. Hij kan zich de namen herinneren van alle mensen die dit apparaat heeft vervangen en hij moet toegeven dat de machine slimmer is dan al die mensen bij elkaar, wat dan weer de volgende vraag opwerpt: waarom zou je iets wat zo slim is alleen maar gebruiken om enveloppen op verschillende stapeltjes te leggen? Dat is hetzelfde als Einstein vragen een pot thee te zetten.

'Dit ding heeft geheimen,' zegt hij. 'Geloof me.'

'Wat bedoel je, Albert?' De stagiair kijkt hem met opgetrokken wenkbrauwen aan. Hij lijkt alles wat oude mensen zeggen onbegrijpelijk te vinden.

'Ik zei dat ik je niet kan helpen.'

'Dat heb ik je ook niet gevraagd. Over een uur komt de monteur.'

Ook dat is veranderd, denkt Albert als hij wegloopt. Hij kan zich de tijd nog herinneren dat de mannen die bijna met pensioen gingen als helden werden beschouwd en dat er naar hen werd opgekeken. Een stagiair zou zelfs trots zijn geweest als hij van zo iemand een oorvijg had gekregen. Albert heeft geen indrukwekkende lengte of houding, dat is waar, maar het weinige haar wat hij nog heeft is zichtbaar grijs en dat zou toch iets moeten betekenen.

'De wereld is gek geworden,' mompelt hij in gedachten. 'Alle goede mannen zijn nu dood...'

Ook al is er niemand die naar hem luistert, heeft hij toch spijt van zijn woordkeus. Hij ziet al op tegen zijn naderende pensioen zonder dat hij daar ook nog eens zijn sterfelijkheid bij hoeft te halen.

Vanaf de andere kant van het vertrek roept iemand: 'Je bent een geluksvogel, Albert!'

Hij kijkt op en ziet dat zijn baas eraan komt.

Darren is in de veertig en gek op clipboards. 'Nog een paar weken en dan zit het erop, hè?' Even hangt er een gespannen stilte. 'Je werk, bedoel ik. Dan kun je hier weg en doen waar je zin in hebt!'

'Ik zou liever blijven werken.'

'Nee, dat meen je niet echt.' Hij wacht niet op een reactie. 'Weet je, eigenlijk benijd ik je. Tijd voor jezelf, tijd om te tuinieren...'

'Ik woon in een appartement.'

'O, maar bloembakken kunnen ook heel leuk zijn. En je kunt je bezighouden met je kleinkinderen.'

Albert, die geen kinderen heeft, gaat hier niet op in. Mensen schrikken vaak als hij zegt dat hij geen familieleden heeft. Dan ziet hij aan hun gezicht dat ze bang zijn dat hij, omdat hij geen vrouw en kinderen heeft, hén ooit een keer zal vragen of ze hem naar het toilet willen brengen of in bad willen doen.

'Kinderen vinden pretparken ook geweldig. En ik neem aan dat je korting krijgt als je met pensioen bent.'

'Ach, in elk geval zal mijn poes het prettig vinden dat ik thuis ben.' Dat is het enige wat Albert vol overtuiging kan zeggen: dat zijn poes, het enige levende wezen in zijn leven, hem dan nog steeds nodig zal hebben en hem hoe dan ook zal accepteren.

'Zie je wel!' zegt Darren. 'En kinderen zijn gek op dieren.' Dan kijkt hij met een geroutineerde, gewichtige blik op zijn horloge. 'Nou, als je iets nodig hebt, hoor ik het wel, oké?'

Hij beent al weg voordat Albert iets kan zeggen, om zijn baan kan smeken of vragen of ze hem buiten willen doodschieten.

Albert staat hem nog steeds na te kijken als een van de meisjes van de administratie naar hem toe komt. 'Albert?' zegt ze met de ongemakkelijke blik van iemand die slecht nieuws moet brengen. 'Een van je buren belde net. Over je poes...'

5

Gloria is gelukkig niet dood. In deze houding is het lastig om haar te dragen. En het is verbazingwekkend dat ze, nu twee van haar poten in het gips zitten, zoveel zwaarder is. Maar ze is gelukkig niet dood.

Een jongere poes zou de val beter hebben kunnen opvangen, hoewel een jongere poes waarschijnlijk niet uit een raam op de zesde verdieping zou zijn gesprongen.

Dat is het probleem als je ouder wordt, denkt Albert. Je hersens functioneren minder goed, juist als je ze het meest nodig hebt.

Bij hem is het nog niet zover, maar hij vraagt zich af hoe het over een paar jaar zal zijn: wie zal er zijn om te voorkomen dat hij over straat gaat dwalen of over de spoorlijn gaat wandelen? Hij dacht altijd dat Gloria een stabiliserende factor zou zijn, maar nu kan hij dat natuurlijk niet meer zeggen.

Albert hoort luide stemmen; jonge mannen met veel bier op. Hij gaat sneller lopen. Het is al stiller op straat dan hem lief is en dat herinnert hem eraan dat hij eigenlijk in bed zou moeten liggen.

In dit soort situaties is hij blij dat hij zijn officiële Royal Mail-jas draagt met daarop het logo waaruit zijn neutrale missie blijkt: de onpartijdige bezorging van post aan zowel heiligen als zondaren.

Nu hij al over een paar weken met pensioen gaat, vraagt hij zich bezorgd af of hij de jas mag houden, hoewel hij zich tegelijkertijd ook afvraagt wat hij ermee moet doen als dat inderdaad zo is. Hij wil hem natuurlijk graag blijven dragen, maar hij snapt ook wel dat dit allerlei problemen kan veroorzaken: mensen die hem op straat lastigvallen over zoekgeraakte post of willen weten waarom het vier dagen heeft geduurd voordat een spoedbrief vijftien kilometer verderop werd bezorgd. Hij heeft het allemaal al eens meegemaakt. Het zou het beste zijn, denkt hij, om die jas maar een enkele keer te dragen, op zondag of zo. Ach, in de toekomst zal ik elke dag het gevoel hebben dat het zondag is.

Gloria miauwt, ze is duidelijk ongelukkig over, nou ja, over alles.

'Kijk toch eens, ze hebben een "stomp voorwerp" van je gemaakt, hè? Ik zou iemand kunnen doodslaan met die poten van jou!'

Die gedachte heeft hem moed gegeven, zodat hij nu minder gebogen door zijn wijk loopt, een wirwar van flats vol graffiti en donkere trappenhuizen.

6

Het is al bijna veertig jaar geleden dat Alberts vrouw is overleden, maar er is niet veel veranderd in de flat waar zij samen maar zo kort gelukkig waren. Het bed waarin ze is gestorven staat er nog, de veren van de matras zijn iets meer versleten, maar het bed is nog steeds functioneel. De kledingkast waar zij haar kleren in ophing staat nog altijd in de slaapkamer, maar de inhoud is veel minder netjes georganiseerd dan zij had gewild. Hier en daar liggen nog wat spullen van haar – een verbleekte handschoen, een muffe sjaal – stuk voor stuk een bitterzoete herinnering aan een leven dat allang is vervlogen.

Wat waarschijnlijk het meest is veranderd, is Albert zelf: zijn haargrens wijkt, als een traag bewegend getij; ook zijn ooit strakke huid is nu slachtoffer van de ouderdom en de zwaartekracht.

Hij bekijkt zichzelf in de spiegel, niet uit ijdelheid, maar geïntrigeerd. 'Ik heb in elk geval mijn eigen tanden nog,' zegt hij tegen Gloria.

Maar nu ze twee gebroken poten heeft, kan dat haar waarschijnlijk niets schelen. Terwijl ze knippert – van de pijn of uit verveling, dat is niet te zeggen – ontbloot Albert zijn tanden en bewondert ze vanuit verschillende hoeken. Als hij in de supermarkt is en tandpasta koopt, wil hij dit ook weleens doen. 'Kijk, ik heb nog altijd mijn eigen tanden!' wil hij dan roepen, met zijn lippen opgetrokken als een aap die klaar is om aan te vallen. Maar hij weet ook wel dat iedereen dan zou denken dat hij gek is. En wie kan het nu iets schelen als je nog wel je eigen tanden hebt, maar gek bent geworden?

Zich niet bewust van het feit dat dit eigenlijk een trieste gedachte was en niet in staat in te zien dat hij eigenlijk veel ouder is dan zijn jaren, draait hij zich om. 'Oké, Gloria, bedtijd!' Zorgvuldig maakt hij van versnipperd toiletpapier een nestje om haar heen. 'Ik wil niet dat je je zorgen maakt om, je weet wel, de roep van de natuur. Laat het maar gewoon lopen, dan ruim ik het morgen wel op.' Hij probeert het glimlachend te zeggen, maar hij kan zich niet goed voorstellen hoe ze dat moet doen. 'En ik laat mijn slaapkamerdeur open, dus roep me maar als je me nodig hebt.'

Ze kijkt hem met een ondoorgrondelijke blik aan en draait zich om met haar blik op het raam gericht.

Ze wil dood, denkt Albert. Ze wacht gewoon tot ze weer kan springen.

Terwijl Gloria naar buiten kijkt, kijkt Albert naar een grote schimmelvlek op de muur, de oorzaak van al zijn problemen. Dat was de enige reden waarom hij vandaag het raam open had laten staan, om frisse lucht binnen te laten, maar het enige wat dit heeft opgeleverd is een manke poes en een zelfs nog grotere schimmelvlek.

Hij probeert zich daar niet druk over te maken, doet het licht uit en loopt naar zijn slaapkamer. Voordat hij in bed stapt, blijft hij even staan bij een foto van zijn vrouw, waarvan het gevlekte zilveren lijstje zomaar in zijn chaotische huis zou kunnen verdwijnen. 'Welterusten, liefje.'

Ze glimlacht naar hem, als een konijn dat is gevangen in het licht van de koplampen, opgesloten tussen de jaren zestig en zeventig in een onbekende nieuwe wereld waarin ze niet lang genoeg heeft geleefd om hem te kunnen begrijpen.

En dan, van de ene seconde op de andere, is de dag voorbij.

Albert nestelt zich in het donker in de gedeukte matras. Hij is zich er nooit echt bewust van geweest dat hij bang is voor wat elke nieuwe dag zou kunnen brengen, dat hij bang is om het weinige wat hij heeft kwijt te raken. Dat gevoel wordt volgens hem veroorzaakt door brandend maagzuur.

'Ik zou echt een keer Rennies moeten kopen,' mompelt hij en hij slaat zijn armen om een haveloos oud kussen heen. Hij doet zijn ogen dicht en valt in slaap, terwijl de wereld om hem heen doordraait met veel lawaai van sirenes en autoalarminstallaties.

En ondertussen zit Gloria roerloos in de woonkamer, met haar poten in het gips, maar alert. Ze kijkt naar de knipperende lichten van de vliegtuigen die moeten wachten tot ze op Heathrow of Gatwick mogen landen.

Wat ze al heel vaak heeft gezien, maar nooit zal begrijpen, is dat deze vliegtuigen eindeloos lijken rond te cirkelen, zodat het vaak lijkt alsof sommige mensen hun hele leven gevangenzitten, continu rondjes draaien maar nooit ergens aankomen.

Leven

7

'Ik dacht dat jullie samen naar de dokter zouden gaan.'

'Hij wilde toch liever alleen,' zegt Carol, 'maar daarna wil hij graag met me praten.'

Haar beste vriendin Helen schenkt een kop thee in, waarvan de kleur al even afstotelijk is als de geur. De stereo staat aan en op de achtergrond is Kenny G te horen, een geluid dat uitstekend past bij een vochtig rijtjeshuis in Croydon.

'Wat denk je, komt het goed met hem?' vraagt Helen.

'Geen idee. Ik bedoel, dat hoop ik.'

'Fijn dat het je nog steeds iets doet.'

'En dat ik niet hoop dat hij doodgaat, bedoel je?'

'Ja, maar weet je, het kan heel erg worden.' Helen vertrekt haar gezicht. Haar eigen scheiding van drie jaar geleden is nog steeds een gevoelig onderwerp. 'En, hoe gaat het met jou? Hou je het een beetje vol?'

'Ach, dat weet ik niet. Ik maak me natuurlijk zorgen om hem, maar het voelt allemaal een beetje als loos alarm. Ik bedoel, als Bob verkouden is, denkt hij al dat hij doodgaat! Als hij een halfuurtje zit te googelen, ontdekt hij dat hij leukemie en tyfus heeft.'

'Maar hij heeft wel echt een knobbeltje?'

'Ja, hij liet het me zelfs voelen.'

Helens ogen worden groot, maar het is onduidelijk of dit uit belangstelling of van opwinding is. 'En?'

'Nou ja, het wás een knobbeltje. Ik was vooral opgelucht dat ik zijn ballen kon aanraken zonder dat hij meteen met me naar bed wilde.' Kenny begint met *Let It Be*. Nu is het wel genoeg geweest. 'Móéten we naar die afschuwelijke muziek luisteren?'

'Dat is ontspannend.'

'Waarom wens ik hem nu dan dood?'

'Ik heb ergens gelezen dat instrumentale muziek helpt. Tegen stress, begrijp je.'

Carol knikt en laat het rusten, ter wille van Helens zenuwen. Ze kennen elkaar al vanaf de universiteit en hoewel ze sindsdien zijn veranderd van twee druppels water in een druppel water en een zandkorreltje, vindt Carol hun vriendschap nog altijd zo waardevol dat het helemaal niet nodig is dat ze van dezelfde muziek houden. Of van dezelfde thee.

Ze roert door haar thee, maar is niet van plan echt een slokje te nemen. In de stilte die hierop volgt, besluit ze dat nu het juiste moment is voor haar bekentenis. 'Ik had me voorgenomen gisteren bij Bob weg te gaan.'

Helen lijkt niet verbaasd. 'Op een dinsdag? Wat bijzonder.'

'Hoezo? Is er een algemeen geaccepteerde dag voor echtscheiding? Word je eigenlijk geacht dat in het weekend te doen?'

'Dat vraag je zeker aan mij omdat ik zoveel ervaring met mislukte relaties heb?'

'Oké, sorry, dat bedoelde ik niet zo.'

'Geeft niet. Want, het ís toch zo?' zegt Helen met een blik die even somber is als haar gebreide trui, een ruw paarsachtig wollen geval.

'Ik had net een vreselijke werkdag achter de rug,' zegt Carol. 'Ik wist dat er iets moest veranderen.'

'Je had ook gewoon de personeelsadvertenties kunnen doornemen.'

'Maar dan zou ik waarschijnlijk gewoon weer een rotbaan krijgen, ja toch? Dan zou ik de saaie administratie bij een verzekeringsmaatschappij ruilen voor de al even saaie en bureaucratische rompslomp van een ander bedrijf. En dan moet ik nog steeds elke avond terug naar Bob. Dat is het echte probleem, samenleven met iemand van wie ik niet echt hou...'

Stilte.

'Deze keer zou ik het hebben gedaan. Echt waar!'

'Heb je het tegen mij of probeer je jezelf te overtuigen?'

'Hij heeft een knobbeltje op zijn ballen! Ik kan toch geen man dumpen die net heeft ontdekt dat hij een knobbeltje op zijn ballen heeft?'

'Ik denk liever dat ik de man met wie ik al twintig jaar getrouwd ben zou dumpen, punt. Er moet toch een andere manier zijn om je problemen op te lossen?'

'Ja, met een pistool misschien.' Carol zucht en is zo afgeleid dat ze bijna een slok thee neemt. 'Zodra hij te horen krijgt dat het in orde is, ben ik weg.'

Ze ziet Helens blik niet, de angstige blik van een eenzame vrouw die bang is haar enige echte vriendin kwijt te raken.

'Waar ga je dan naartoe, denk je?' vraagt Helen.

'Ik wil graag nog een keer naar Athene...' Ze zwijgt, omdat ze zich realiseert dat Helen de echte reden kent van haar belangstelling voor Athene; een geheim dat maar het beste vergeten kan worden, hadden ze lang geleden al besloten. 'En daarna weet ik het niet,' voegt ze er snel aan toe. 'Weg van hier.'

'Nou zeg, zo erg is Croydon nou ook weer niet.'

'Echt wel, zo zou Mogadishu eruitzien met een Burger King en een McDonald's.'

Ze schrikken allebei als de voordeur dichtslaat. Een paar seconden later komt Helens dochter Jane, elegant als een mijnwerker, de woonkamer binnen.

Jane is maar een jaar jonger dan Sophie en toch heeft zij totaal andere keuzes gemaakt: ze is expres voor haar examens gezakt en heeft gekozen voor een stijl die het beste te omschrijven is als *Angry Lesbian*.

Ondanks de instrumentale muziek hangt er even een gespannen sfeer. Carols relatie met haar dochter Sophie wordt bepaald door een brede intellectuele kloof, maar Helens probleem met haar dochter is veel basaler: Jane haat haar, haar afkeer voor Helen is duidelijk, bijna schokkend intens, en als Carol naar Helen kijkt begrijpt ze ook wel waarom. Ondanks Helens zelfhulpboeken en yogalessen is ze een puinhoop. Het lijkt wel alsof haar scheiding de stop uit het bad van haar leven heeft getrokken en er niet meer van haar over is dan het schuim dat in de badkuip is blijven plakken.

'Heb je zin in een kop thee?' vraagt Helen.

Carol neemt zich voor dit nog een keer met Helen te bespreken. Het is niet bepaald cool om een tiener een kop thee aan te bieden, vooral niet iemand als Jane, die eruitziet alsof ze alleen maar lijm wil snuiven en jong wil sterven.

Natuurlijk geeft Jane geen antwoord. Ze draait zich gewoon om en loopt de kamer uit; haar voetstappen op de trap bevestigen dat ze zowel kwaad als te dik is.

'Vreemd, hè,' zegt Helen zacht. 'Je denkt altijd dat je eigen kind verstandig, succesvol en slim zal zijn.' Ze kijkt omhoog naar het plafond, alsof ze verwacht dat er nog iets anders gaat gebeuren – keiharde muziek misschien, of het gebrul van een kettingzaag. 'Ik weet nog altijd niet of ze een pot is of alleen maar een griezelige heteroseksueel.' Ze bijt op haar nagels. 'Ik zou weleens willen weten wat haar vader ervan denkt, maar hij geeft natuurlijk de voorkeur aan de kinderen van iemand anders. Ik noem dat de "dit is er eentje die ik eerder heb gemaakt"-benadering van het gezinsleven.'

'Helen, hij was een hufter.'

'Dat vindt zijn nieuwe vrouw kennelijk niet.'

Carol neemt een slokje thee, de enige manier waarop ze nu haar medeleven kan tonen.

'Over een jaar of twee gaat het wel weer beter,' zegt Helen. Het klinkt alsof ze het niet echt meent en het alleen maar zegt omdat het misschien een therapeutische waarde heeft. 'Hoe gaat het met Sophie?'

'Onzichtbaar. Zoals altijd. Druk met briljant zijn.'

'Een intelligente, verstandige dochter. Ik snap niet hoe je dat volhoudt.' Helen probeert te glimlachen, maar daardoor ziet ze er alleen maar nog verdrietiger uit. 'Weet zij het, van Bob?'

'Nee, we willen niet dat ze zich zorgen maakt. Niet dat ze dat zou doen.'

'Carol!'

'Het ís zo! Ze heeft evenveel emoties als een laserprinter. En toch is ze zo zeker van haar plaats in de wereld, zo zeker dat ze alles zal krijgen wat ze wil.'

'Is dat niet goed dan?'

'Ach, weet ik veel! Misschien ben ik gewoon jaloers.' Carol neemt nog een slok thee en heeft daar onmiddellijk spijt van. 'Ik vond laatst een foto van mezelf uit 1993: ik was toen net afgestudeerd en dacht dat de wereld aan mijn voeten lag. De jaren tachtig zouden terugkomen, maar dan met leukere kapsels en kleinere telefoons. En daar was ik, zeven maanden zwanger.' Ze kijkt naar haar theekopje en bedenkt dat de donkere, bittere vloeistof steeds meer symbool lijkt te staan voor haar leven. 'Een gedwongen huwelijk op mijn twintigste was niet bepaald waar ik van had gedroomd. En het hielp ook niet echt dat ik het gevoel had dat ik degene was die gedwongen werd en niet Bob.'

'Je had kunnen wachten.'

'Waarop? Ik bedoel, er komt nooit een goed moment om met een man als Bob te trouwen. En nu... nu is Sophie aan de beurt om volwassen te worden en probeer ik nog altijd te ontdekken wat ik met mijn leven aan moet.'

'Weet je wat? Je zou een brief moeten schrijven.'

'Aan wie?'

'Dat maakt niet uit. Je moet gewoon alles opschrijven wat je voelt en daarna moet je hem verbranden.'

Carol kijkt haar ongelovig aan.

'Een brief aan het universum,' voegt Helen eraan toe, alsof dat alles verklaart. 'Dat is een ritueel.'

'Als ik de moeite zou nemen om iemand te vertellen wat ik denk, zou het dan niet beter zijn om die brief echt te versturen?'

'Nee, dat is veel te confronterend. Zo gaat het niet in het universum.'

'En die komeet dan, die alle dinosaurussen heeft uitgeroeid? Dat is behoorlijk confronterend, volgens mij.' Ze wacht op een reactie, maar het is wel duidelijk dat Helen haar negeert. 'Maar goed, je kent me, het grootste deel van mijn leven heb ik niet gezegd wat ik dacht. Ik zou eindelijk eens meer confronterend moeten worden in plaats van minder.'

'Dat kon weleens moeilijk worden als Bobs knobbeltje echt een gezwel blijkt te zijn.'

'Dat stelt niets voor.' Dat klinkt wreed, meer als een standje dan als een antwoord.

Helen neemt een slok thee, zich duidelijk bewust van het feit dat ze een gevoelige snaar heeft geraakt. 'Nou ja, ik hoop voor hem dat je gelijk hebt.'

Carol en Bob hebben in de hoofdstraat met elkaar afgesproken. Vlak bij de praktijk van de huisarts, maar ook weer niet zo dichtbij dat het voelt alsof ze wacht tot hij naar buiten komt – ook al is dat wel zo – want volgens Bob kan dat niets goeds betekenen. Hij heeft het tijdens het ontbijt uitgebreid uitgelegd. 'Mensen staan alleen maar bij een huisartsenpraktijk te wachten als er iemand doodgaat.'

'Volgens mij gaat er nooit iemand dood bij de huisarts, Bob.'

'Bij een ziekenhuis dan.'

'En vrouwen die een kind krijgen? Dan zijn er toch ook mensen die wachten?'

Bob had haar alleen maar kwaad aangekeken, het onbetwistbare voorrecht van iemand die een knobbeltje heeft.

Omdat Carol denkt dat ze maar het beste aan zijn grillen kan toegeven, is ze er op de afgesproken tijd – ze gaat in de buurt van de huisartsenpraktijk staan, maar ook weer niet zo dichtbij dat ze Bob de dood in kan jagen – en wacht.

En wacht.

Als ze zich begint te vervelen, drentelt ze naar een reisbureau en bekijkt de aanbiedingen in de etalage. Volgens haar zijn de aanbiedingen niet alleen vluchten en georganiseerde reizen, maar ook uitnodigingen om te ontsnappen en zichzelf opnieuw uit te vinden, om opnieuw te proberen het geluk te vinden.

Als ze er vroeger aan dacht om bij Bob weg te gaan, maakte Sophie altijd deel uit van haar fantasie: ze gingen samen weg en ontdekten dat het enige echte gemis in hun relatie een zandstrand en permanente zonneschijn waren. Maar in de loop der jaren is er iets veranderd. Ondanks het feit dat Carol zich vast had voorgenomen van de fouten van haar moeder te leren, staan zij en Sophie nu ieder aan een andere kant van een brede emotionele baai. En ja, soms denkt ze dat ze erin kan springen en naar de overkant kan zwemmen, waardoor al die jaren van gefrustreerd moederschap worden uitgebannen door het simpele feit dat ze haar hand naar haar dochter uitsteekt. Maar nog vaker, als ze in gedachten over de baai heen naar het silhouet van haar dochter kijkt, ziet ze dat die het opgeeft en wegloopt van een relatie die al jaren geleden is opgehouden zinvol te zijn.

Als Carol dat een andere ouder zou horen zeggen, zou zij de eerste zijn om dat te veroordelen en toch is dit haar waarheid, haar duistere, schandelijke geheim.

Voordat ze zich zelfs maar realiseert wat ze doet, loopt ze naar het winkeltje op de hoek en koopt een goedkoop schrijfblok. Daarna loopt ze naar buiten, gaat op een bankje zitten en begint te schrijven.

Lief universum,
Ik vind mijn dochter niet aardig.

Ze kijkt naar de woorden en streept ze dan met zoveel kracht door dat haar pen door het papier drukt.

'Shit!'

Ze aarzelt, de gescheurde bladzijde met inktvlekken geeft precies aan hoe ze zich voelt.

Ze haalt diep adem en begint weer te schrijven.

Ik ben een slechte moeder. Ik wil graag denken dat dit niet alleen mijn schuld is. Ik bedoel, als ik een kind had gekregen in plaats van een encyclopedie was alles misschien heel anders gelopen.

Ze aarzelt, ze voelt wat er nu komt.

Het was misschien beter geweest als ik niet verliefd was geworden op een andere man. Of als ik de moed had kunnen opbrengen om voor een leven met hem te kiezen in plaats van met Bob.

Ze schrikt van deze woorden, ze is verbijsterd over de immense impact van wat ze zojuist heeft geschreven en haalt snel en oppervlakkig adem.

Dit is geen brief, dit is een bom. Het is te veel, te snel. Ze is nooit echt van plan geweest hem te verbranden, maar nu ze dit ziet weet ze niet wat ze moet doen. Ze kan hem niet in haar tas bewaren. Het is niet eens veilig om hem in de afvalbak te stoppen: ze zou vannacht niet kunnen slapen in de wetenschap dat deze woorden ergens buiten zijn; ergens, waar dan ook.

Ze loopt snel terug naar de winkel en koopt, met de zorgwekkende, zenuwachtige drang van een chronische nicotineverslaafde, een aansteker. Zelfs de oude Punjabi-man achter de toonbank kijkt een beetje gealarmeerd – een man die zo te zien alles al eens heeft meegemaakt, oorlogen en schaarste en erger – en toch slaagt Carol er op een rustige middag in Croydon in hem nerveus te maken.

Ze loopt snel naar een afvalbak en ziet niet dat de verpleegkundige in de deuropening van de huisartsenpraktijk naar haar staat te kijken. Met trillende handen scheurt Carol de beschreven bladzijde uit het schrijfblok en voor de zekerheid ook nog een paar velletjes daaronder. Ze houdt ze allemaal boven het vlammetje, maar een zacht briesje maakt het lastiger dan ze had gedacht.

Eindelijk beginnen de bladzijden te branden en het vuur slokt ze zo snel op dat Carol ze geschrokken laat vallen. Ze kijkt in de afvalbak en hoopt van harte dat het vuur vanzelf zal doven, maar de bladzijden liggen boven op een waar kruitvat van oude kranten en vettige fastfoodverpakkingen. Een paar seconden later likken de vlammen langs de bovenkant van de afvalbak en stijgt er een dikke, walmende rookwolk op.

Carol loopt snel weg en kijkt om zich heen of iemand haar heeft gezien. Dan ziet ze de verpleegkundige.

'Neem me niet kwalijk,' roept de verpleegkundige. 'Bent u misschien mevrouw Cooper?'

Carol overweegt hard weg te lopen, maar besluit dat toch maar niet te doen. Het is veel beter, denkt ze, om rustig en beheerst naar haar toe te lopen. De vrouw lijkt niet iemand die herrie zal schoppen. Ze is gewoon overwerkt. Het komt door het licht.

Als ze dichterbij is gekomen, ziet ze dat de blik van de vrouw heen en weer schiet tussen haar en de dikke rookwolk.

'Is er iets?' vraagt Carol.

'Het gaat om uw man.' De verpleegkundige praat zacht. 'Volgens mij kunnen we beter even binnen praten.'

8

Albert steekt zijn vork nog verder in de broodrooster, maar hij kan de boterham er nog steeds niet uit krijgen. Hij komt niet op het idee eerst de stekker uit het stopcontact te halen. Dat krijg je als je ouder wordt: je wordt niet vergeetachtig, maar je vindt allerlei dingen gewoon niet meer zo belangrijk. Hij doet dit soort dingen al tientallen jaren, dus waarom zou hij zich nu opeens zorgen gaan maken?

'Kijk eens aan,' zegt hij als hij er een verkoolde boterham uithaalt. 'Een beetje te donker, maar dat is alleen maar lekkerder.'

Hij neemt hem mee naar de woonkamer en vraagt zich ondertussen af wat hij tegen Darren moet zeggen. Albert woont in een gemeentewoning en wil een paar uurtjes vrij om naar de gemeente te gaan en te vragen of ze iets aan die vochtplek kunnen doen. Nooit eerder heeft hij dat zo kort van tevoren gezegd.

'Ja Darren, met Albert.' Hij houdt een denkbeeldige telefoon in zijn hand, probeert zelfverzekerd en tegelijk onverschillig te klinken. 'Ja, ik moet naar de gemeente. Over een vochtplek. Dat kost maar een uur of twee, hoor, en daarna kom ik meteen.'

Hij kijkt naar Gloria, die nu met een koninklijk air op een pas verschoond bed zit. 'Dat klinkt redelijk, vind je niet?'

Ze negeert hem, heeft alleen aandacht voor het raam.

'Hoewel ik echt niet weet waarom ik me zo druk maak. Mijn pensioen komt steeds dichterbij en het lijkt wel alsof ze het steeds minder belangrijk vinden wat ik doe.' Het doet pijn om dat te zeggen, maar het is waar. Het is nu zelfs al zover dat hij denkt dat hij dagenlang kan wegblijven – misschien zelfs dood kan gaan in de personeelsruimte, een uitgedroogd lijk in een van de leunstoelen die onder de koffievlekken zitten – zonder dat het iemand opvalt.

Zelfs als hij zichzelf heeft gedwongen het telefoontje te plegen, verloopt het gesprek totaal anders dan hij had verwacht.

'Neem maar lekker de hele dag vrij,' oppert Darren.

'Maar dat is niet nodig.'

'Dan noteer ik het als een ziektedag.'

'Maar ik ben niet ziek.'
'Nee, maar het zou toch ook niet leuk zijn om een snipperdag te nemen als je je ziek voelde, wel?'
'Eh nee...'
'Zie je wel? Probleem opgelost.'
'Het komt gewoon doordat ik gisteren het raam open liet staan vanwege die vochtplek en toen is Gloria naar buiten gesprongen. Dat geloof je toch niet? Zes verdiepingen! Ze mag van geluk spreken dat ze nog leeft.'
Een lange, verwarde stilte aan de andere kant van de lijn.
'Gloria is mijn poes.'
'Aha, ik begrijp het.'
'Nu heeft ze twee poten in...'
'Geniet maar van je dag, oké?'
'O, maar dat is...'
Darren verbreekt de verbinding.
'Nou,' zegt Albert tegen Gloria. 'Dat ging best goed, vind je niet?'
Hij kijkt omhoog naar de schimmelplek, ervan overtuigd dat die de afgelopen uren groter is geworden. Natuurlijk zou hij eigenlijk het raam open moeten laten als hij weg is, maar hij moet ook om Gloria denken. Haar voorpoten zitten weliswaar in het gips, maar waar een wil is...
Omdat hij geen enkel risico wil nemen, bindt hij een stuk touw om haar hals en maakt het uiteinde vast aan een tafelpoot. 'Zo! Voorkomen is beter dan genezen.'

In het kantoor van de gemeente branden van die felle lampen waardoor iedereen er ziek uitziet en de ruimte toch vrij schemerig is. Er hangt ook een bijna tastbaar gevoel van wanhoop in de lucht, alsof enkele mensen die in de rij staan hier al maanden, misschien zelfs jaren wachten. Zelfs het personeel lijkt depressief, zodat het, als een van hen tevoorschijn komt, niet duidelijk is of ze iets gaan halen of zichzelf een kogel door het hoofd gaan jagen.
Als Albert eindelijk aan de beurt is, is niets zo eenvoudig als zou moeten. Niet dat hij had verwacht dat het gemakkelijk zou zijn – dit is immers de gemeente – maar hij had gewoon niet verwacht dat deze ervaring zo gruwelijk zou zijn.
'U woont dus alleen?' vraagt de vrouw achter de balie.
'Dat klopt.'
Ze begint met haar pen op haar toetsenbord te tikken; een opgewonden *tik, tik, tik,* alsof ze net een geweldig idee heeft gekregen. 'En u hebt het daar naar uw zin?'

'Ja, daar zijn nog zoveel herinneringen aan de tijd dat mijn vrouw nog leefde. Ik wil daar nooit meer weg.'

'Maar het is wel een beetje groot voor één persoon, vindt u niet?'

'Er is maar één slaapkamer.'

'Ja, maar wel een slaapkamer voor twee personen.'

'Luister, ik wil alleen maar dat dat vochtprobleem wordt opgelost.'

'En er is een lange wachtlijst voor dat soort woningen. Misschien is het beter...' Ze kijkt naar haar computer en haalt haar schouders op, alsof de technologie geen idee heeft van wat er allemaal speelt bij de overheid. 'Misschien is het beter als u overweegt te verhuizen.'

'Maar daarmee is het probleem nog niet opgelost, wel?'

'Maar dan wordt het iemand anders zijn probleem.'

'Alleen als u de flat aan iemand anders verhuurt.'

'Nou, hij kan niet leeg blijven staan. Er is een lange wachtlijst.'

'Maar dan zou u het vochtprobleem toch eerst moeten oplossen?'

'Natuurlijk.'

'Dus waarom kunt u dat niet doen nu ik er woon?'

Ze buigt zich naar hem toe en zegt luid en langzaam: 'Er is een lange wachtlijst en daarom geven we voorrang aan de leegstaande flats.'

'U bedoelt dus dat u mijn huis niet kunt opknappen omdat ik er woon?'

'Ja, inderdaad.'

Albert vraagt zich heel even af wat er zou gebeuren als hij gewelddadig was. 'Dan ga ik het zelf misschien wel proberen op te lossen,' zegt hij met een beleefde glimlach.

'Ik vind nog steeds dat u moet overwegen te verhuizen. Ik ben ervan overtuigd dat we een nieuwere, gezelligere flat voor u kunnen vinden.'

'Nee, bedankt.'

'Dan moet u ons in elk geval blijven informeren over dat vochtprobleem,' zegt ze terwijl ze opstaat. 'Als het erger wordt, moeten we misschien wel besluiten dat de flat een gezondheidsrisico vormt.'

Twee uur bij de gemeente had genoeg moeten zijn om Albert overal op voor te bereiden – op schijnverdrinking bijvoorbeeld, of op een langzame, pijnlijke dood – maar als hij thuiskomt en zijn buurman buiten ziet, zakt de moed hem in de schoenen.

In theorie geeft Max alleen zijn verzameling potplanten water; een ongevaarlijke zeventigjarige die beverig in de zon aan het lummelen is. Maar in de praktijk kan de man niet wachten om een gevecht met iemand aan te gaan en blijft hij buiten wachten tot hij bloed ruikt. Meestal dat van Albert.

'Moet jij niet op je werk zijn?' vraagt hij als Albert aan komt lopen.

'Ik wil even kijken hoe het met Gloria gaat.' Albert heeft er meteen al spijt van dat hij een verklaring geeft. Dat is het probleem met Max; ze kennen elkaar al sinds ze klein waren en op de een of andere manier is de pikorde uit hun tienertijd intact gebleven, zodat het onnatuurlijk lijkt, gevaarlijk zelfs, om Max te negeren.

'Ik hoop dat je een parachute bij je hebt,' zegt Max die tegelijk zijn hand uitsteekt naar Alberts boodschappentas en erin kijkt: niets te zien behalve een tube plamuur en een fles ontsmettingsmiddel. Albert trekt zijn tas terug en loopt naar zijn voordeur.

'Maar toch,' zegt Max, 'heb ik liever dat die kat uit het raam springt dan dat hij erin zit.' Hij kijkt naar zijn potplanten, met een bezitterige blik. 'Als ik zou merken dat dat beest aan mijn planten zat, zou ik hem persoonlijk over de rand kieperen.'

'Waarom zou een kat aan jouw bloemen willen zitten?'

'Wat een vraag! Katten zijn gek op bloemen! Wéét je dat niet? Jij hebt een kat, verdorie, en dan weet je dat niet?' Hij lacht, duidelijk tevreden over de wending die dit gesprek neemt. 'Met jouw snuggerheid is het geen wonder dat je na al die jaren nog altijd op het postkantoor werkt.'

9

Bob heeft slecht nieuws nooit goed kunnen verwerken, maar Carol kan zich niet herinneren dat hij zich ooit eerder in het toilet heeft opgesloten.

'Bob, het is goed. Doe alsjeblieft de deur even open, oké?'

'Ik wil hier nog even blijven zitten.'

'Dit is een wc, Bob. Thuis zit je veel comfortabeler.'

'Heel even nog.'

Carol, die zich ervan bewust is dat minstens drie mensen in de wachtkamer hun gesprek kunnen horen, trekt zich terug.

'Hij leek heel rustig toen hij naar het toilet ging,' zegt de verpleegkundige. 'De hysterische types pik je er normaal gesproken gemakkelijk uit.'

Dokter Singh komt eraan met een onbezorgde blik op zijn gezicht. 'Hoe gaat het met hem?' vraagt hij met een licht Indiaas accent, zodat Carol even denkt dat hij de verpleegkundige vraagt hoe het met haar gaat.

'Hij praat,' antwoordt de verpleegkundige.

Dokter Singh knikt. Kennelijk is dit een goed teken. 'Ik zei tegen uw man dat hij naar een specialist moest,' zegt hij ontspannen. 'Ik had niet verwacht dat dit een paniekaanval zou veroorzaken.'

Het is moeilijk te zeggen of hij geïmponeerd of teleurgesteld is dat Bob niet aan zijn verwachtingen heeft voldaan. Al zijn jaren van ervaring overboord gegooid door een overdreven emotionele man die zichzelf in een toilet heeft opgesloten.

'U denkt dus dat het ernstig is?' vraagt Carol.

Dokter Singh haalt zijn schouders op. 'Dit is niet echt mijn specialisme, maar als mijn testikel zo aanvoelde, zou ik me wel zorgen maken, ja.'

Carol en de verpleegkundige laten een ongemakkelijke stilte vallen; geen van beiden wil aan dokter Singhs ballen denken.

In de verte is de sirene te horen van een brandweerauto die steeds dichterbij komt.

'Ik heb uw man aangeraden dit vanuit een filosofische invalshoek te bekijken,' zegt dokter Singh. 'In dit stadium is verwijdering van de testikel het ergste wat hem kan overkomen en in dat geval plaatsen we een zakje siliconen dat even zwaar is, zodat het...' – hij zoekt het juiste woord en zwaait dan met een gebalde vuist – '... zodat het gevoel hetzelfde blijft. Op zich is het een heel eenvoudige operatie. Natuurlijk veroorzaakt het wat pijn en ongemak, en een gevoel van vernedering, neem ik aan, maar ik heb hem verteld dat hij, zelfs met die ene testikel, moet proberen er als een man mee om te gaan.'

Carol begint langzaamaan te begrijpen waardoor Bob in paniek is geraakt. Het zou haar niets verbazen als de arts had aangeboden de operatie meteen maar uit te voeren, met een blikopener. Ze kan zich voorstellen dat hij heeft gezegd: 'Ik begrijp dat u zich zorgen maakt, testikels bloeden verschrikkelijk, dat is waar, maar het duurt niet lang. Gewoon een snel sneetje en een scherpe ruk.'

'Als u het goedvindt,' zegt ze, 'ga ik het nog een keer proberen.'

Ze loopt terug naar de deur van het toilet en klopt zachtjes aan. 'Bob, ik wil dat je met me mee naar huis gaat, oké? Ik wil niet dat je hier blijft.'

De sirene is inmiddels oorverdovend en houdt dan abrupt op; kennelijk is de brandweerauto dichtbij gestopt.

'Bob?'

'Je moeder belde.'

'Wat?'

'Je moeder belde gisteren. Ze zei dat ze je nooit te pakken kreeg op je mobieltje.'

'Bob, dat is niet bela...'

'Dat ben ik vergeten tegen je te zeggen.'

'Dat is niet belangrijk, Bob. Echt niet.'

'Dat zeg je alleen maar omdat je de pest aan haar hebt.'

Carol kijkt naar de verpleegkundige en dokter Singh, zich bewust van het feit dat zij meeluisteren. 'Bob, ik heb niet de pest aan haar. En ook al was dat wel zo, dan is het niet belangrijk, oké? Ik wil je alleen maar meenemen naar huis, het jou naar de zin maken.' Meer weet ze niet te zeggen. 'We kunnen *Doctor Who* kijken.' Nog steeds niets. 'En er staat een heerlijk toetje in de koelkast.'

Even later klikt de deur open en komt er een wolk dennengeurluchtverfrisser naar buiten.

'Wat voor toetje?'

10

Gloria heeft zich tijdens Alberts afwezigheid niet bewogen. Niet vreemd natuurlijk, gezien het feit dat haar halve lichaam in het gips zit. Als Albert naar het tafereel kijkt – een poes die op de vloer van de woonkamer ligt, half kreupel, met een grof touw vastgebonden aan de eettafel – moet hij onwillekeurig denken aan die poster van de dierenbescherming: 'Maak een einde aan dierenmishandeling! Doneer nu!'

Hij komt tot de conclusie dat hij haar motorische vaardigheden heeft overschat en maakt haar los. 'Zo, voelt dat beter?'

Zelfs hij realiseert zich dat dit een domme vraag is: met twee poten in het gips is een stukje touw om haar hals wel haar minste probleem.

'Ik ga de muur repareren. Je mag wel kijken als je wilt.' Hij denkt aan wat Max zei. 'En als je lief bent, koop ik binnenkort wat bloemen voor je. Zou je dat leuk vinden?' Ze kijkt naar hem als hij het raam openmaakt. 'Die had ik eerder voor je willen kopen,' zegt hij zacht, 'maar ik kan verdomme toch geen gedachten lezen!'

Onder het toeziend oog van Gloria leunt hij uit het raam om de muur beter te kunnen zien. Een grote scheur in de gevel lijkt op dezelfde plaats te zitten als de schimmelvlek.

'Daar is het, oké dan.' Als hij naar beneden kijkt, zes verdiepingen lager, slaat zijn hart een slag over. 'Zo... Dat is een enorme val. Maar daar weet jij natuurlijk alles van.'

Omdat hij niet wil dat Gloria denkt dat hij bang is, doet hij een dikke klodder plamuur op het mes en klimt moeizaam op de vensterbank.

'Dat komt door mijn reuma,' zegt hij als zijn benen beginnen te trillen. 'Ik ben niet meer zo jong als vroeger.'

Met één hand aan het kozijn leunt hij naar buiten en smeert een dikke laag plamuur over de scheur; niet genoeg om het probleem op te lossen, maar het is een begin.

Hij klautert weer naar binnen, zijn hart gaat als een razende tekeer. 'Nou, zo moeilijk is het dus niet, wel?'

Nog steeds met trillende benen raapt hij het touw op en bindt het weer om Gloria's hals. Daarna maakt hij het uiteinde los van de tafelpoot en knoopt het om een van zijn riemlussen.

'Niet omdat ik denk dat er iets ergs gaat gebeuren, maar als dat wel zo is, weet ik in elk geval dat er voor je gezorgd wordt.' Hij beschouwt haar grote ogen als een teken van goedkeuring. 'Ja, dat is waar. Ik hou ook van jou.'

Tien minuten later is op de buitenmuur een onregelmatige plak plamuur aangebracht met onhandige streken en vol vettige vingerafdrukken. Het is niet fraai, maar het gebouw ook niet en dus lijkt het niet belangrijk.

Nu haar een tandemval met Albert bespaard is gebleven, kijkt Gloria naar Albert die op een stoel staat en de kamermuur aanpakt. Met elke veeg ontsmettingsmiddel verandert de schimmel in een groene vlek en lost de verf eronder op in de chemische troep. Al na enkele vegen ziet de kamermuur er vele malen erger uit dan in de veertig jaar hiervoor.

'Nou ja, in elk geval is dat harige spul nu weg en dat is misschien wel het belangrijkst.'

Albert stapt van de stoel af en zet een paar passen naar achteren, in de hoop dat de muur er van een afstandje beter uitziet. Dat is niet zo.

'Nou zeg!' zegt hij, omdat hij graag een ander onderwerp wil aanroeren. 'Het is nog niet eens één uur!'

Vroeger zou dit een reden zijn geweest om snel naar zijn werk te gaan, maar dat was in een periode waarin men graag wilde dat hij dat deed. Zelfs Albert ziet nu in dat dit is veranderd. De wereld draait door zonder hem en hij moet gewoon zo goed mogelijk proberen door te modderen.

Hij staat midden in de kamer en realiseert zich opeens dat de dag stil voelt, en leeg.

'Goed dan,' zegt hij zacht. 'Ik neem aan dat het precies zo zal zijn als ik met pensioen ben...'

11

Carol verwacht dat ze als ze thuiskomen een verandering in Bob zal zien. Ze verwacht natuurlijk niet dat hij blij zal zijn, maar ze verwacht iets, een uitbarsting van zijn ergste angsten misschien, of een manische bui waarin hij keihard alle Fleetwood Mac-albums achter elkaar draait. Maar ze krijgt stilte. Uit de manier waarop hij door het huis sluipt, blijkt wel dat hij haar geen seconde uit het oog wil verliezen, maar toch zegt hij nog steeds geen woord. Dat heeft iets griezeligs; een zenuwinstorting die nog niet heeft besloten hoe hij zich wil uiten. Carol kan zich voorstellen dat Bob elk moment in actie kan komen en met dingen gaat gooien of met een van hun Ikea-messen zal proberen zijn oor af te snijden.

'Is er iets aan de hand?' vraagt Sophie aan Bob, terwijl ze in de keukenkastjes op zoek is naar eten. Uit haar woorden blijkt bezorgdheid, maar uit haar toon niet: het klinkt eerder alsof ze zich ergert aan het feit dat de problemen van haar ouders haar eigen geluk dreigen te verstoren.

Bob doet zichtbaar moeite een diplomatiek antwoord te bedenken, maar het lijkt erop dat hij er moeite mee heeft een zin uit te spreken.

'Nee hoor,' zegt Carol.

Sophie kijkt haar woedend aan. 'God, wat ben je, zijn moeder?' Carol wil zeggen: Ja, zo voelt het wel vaak, maar Sophie loopt al naar de voordeur. 'Als jullie zo doen, ga ik wel ergens anders naartoe.'

Even later is ze weg en lijkt de wereld ineens een stuk aangenamer.

'Tieners...' zegt Carol, maar Bob lijkt niet te luisteren.

Hij is naar een hoekje van de keuken gelopen en kijkt naar het kruidenrekje.

De telefoon gaat, het geluid echoot door het stille huis. Carol laat Bob mediteren boven de gedroogde basilicum, loopt snel naar de woonkamer en neemt op. 'Hallo?' Haar gezicht betrekt. 'Mam... Nee, waarom zou er iets aan de hand zijn?'

Ze ziet Bob in de deuropening verschijnen, met gekromde schouders alsof zijn lichaam elk moment in elkaar kan zakken.

'Nee hoor,' zegt ze opgewekt, 'het gaat prima met ons. Sophie is weg. En Bob en ik waren allebei vrij vandaag, we dachten dat we maar even moesten genieten van het mooie weer.' Dan realiseert ze zich dat de dag eigenlijk koud en grijs was. 'Ik bedoel, wie weet hoe lang het nog duurt voordat het echt winter wordt?'

Het gesprek duurt nog een paar minuten en Carol reageert steeds minder geïnteresseerd op de opmerkingen van haar moeder – het vermoeide spel van een professionele tennisster die geen lol meer heeft in haar sport.

'Oké, ik kom volgende week wel even langs,' zegt ze ten afscheid en ze verbreekt de verbinding.

In de stilte die daarop volgt, zegt Bob eindelijk iets. 'Het toetje in de koelkast ziet er heerlijk uit. Heb je dat echt gekocht om mij op te vrolijken?'

'Eh, ja.'

Hij begint te huilen. 'Ik verdien je niet.'

Voordat Carol iets kan zeggen, laat Bob zich langs de deurpost naar beneden glijden.

Ze loopt naar hem toe en knijpt even in zijn schouder, een vriendelijke benadering van intimiteit. 'Bob, het komt goed. We komen hier doorheen, oké?'

Hij gaat op de grond liggen en trekt zijn benen op, in een poging zijn betraande gezicht niet te laten zien.

'Kom eens hier...' Ze gaat naast hem zitten en neemt hem in haar armen; instinctief valt ze terug in haar rol van de vrouw en moeder die ieders problemen kan oplossen, behalve haar eigen.

Als ze hem stevig vasthoudt, en hem zachtjes heen en weer wiegt, is ze dankbaar voor het feit dat de kans dat hij kanker heeft in elk geval zijn libido heeft vermoord; dat ze hem kan troosten zonder dat ze bang hoeft te zijn dat een eenvoudige omhelzing kan escaleren tot een ongewenste troostvrijpartij.

En dan hoort ze de stem van de andere man. Een herinnering die ze wel kan onderdrukken, maar niet kan uitbannen. Een herinnering die de jaren ongeschonden heeft overleefd, hoewel dat niet geldt voor heel veel andere dingen. 'Je hoeft vanavond niet naar hem terug,' zegt de stem. 'Je kunt bij mij blijven als je wilt.'

Het voelt alsof hij de woorden op dit moment in haar oor fluistert. Met zijn lippen slechts een paar centimeter bij haar vandaan.

Net zoals ze jaren geleden heeft gedaan, stelt ze zich voor dat ze, ja, dat ze bij hem blijft. Ze zal haar eigen geluk boven dat van Bob stellen en dan moet al het andere zichzelf maar redden. En heel even is de pijn van die herinnering zo schrijnend dat ze begint te huilen.

12

Al veertig jaar lang bestaat Alberts avondritueel uit televisiekijken. Nou ja, hij kijkt er niet naar, maar hij zit ervoor. Het kan hem niet veel schelen wat erop is, omdat het toch allemaal rommel is, de detectiveseries en waardeloze talentenshows benadrukken alleen maar het geweld en de middelmatigheid van het leven van alledag. Hij zit dus gewoon elke avond voor de tv, dankbaar voor het gezelschap.

Omdat hij zich zijn hele leven al heeft beziggehouden met andermans post, heeft hij zich altijd voorgesteld dat andere mensen 's avonds de brieven van hun kinderen en goede vrienden lezen en herlezen, grinniken om hun favoriete zinnen en diep nadenken over lange en welgemeende antwoorden.

Hij kijkt naar de post die hij die dag heeft gekregen: allemaal reclamedrukwerk. Omdat hij nooit een koopwoning heeft gehad, lijkt het alsof de glanzende brochures met aanbiedingen voor genereuze hypotheken vooral ten doel hebben hem het gevoel te geven dat hij niets voorstelt, dat hij de verkeerde soort gepensioneerde is. 'Gefeliciteerd dat u zo oud bent geworden. Jammer dat u het helemaal verkeerd hebt gedaan.'

Wat niet wil zeggen dat hij nooit persoonlijke post krijgt. Hij krijgt weleens een kaartje van oude vrienden uit Australië, maar zelfs op die kaarten staat alleen iets over blauwe luchten en kleinkinderen, en ze lijken altijd iets plichtmatigs te hebben, waardoor de vriendschappen een verplichting lijken.

Na de dood van Alberts vrouw waren de vriendschappen intenser en warmer geworden, bijna verstikkend door hun bezorgdheid. Daarna werden ze vluchtiger, alsof ze door alle moeite waren opgebrand. Albert had het gevoel dat het net zoiets was als wanneer je in een kamer bent als een gloeilamp doorbrandt: de vriendschappen hadden heel even heel fel gebrand en toen zat hij opeens in het donker.

'We hadden kunnen emigreren, weet je?'

Gloria kijkt naar hem op, maar wendt snel haar blik weer af. Het is wel duidelijk dat hij het nu tegen die ander heeft.

'Als Harry en zijn vrouw vijftig jaar bij elkaar konden blijven, kun je wel nagaan hoe goed wij het zouden hebben gedaan. Zij hebben namelijk nooit echt goed bij elkaar gepast.'

Hij glimlacht, blij dat hij nog steeds op deze manier tegen haar kan praten, dat hij haar zelfs na al deze jaren nog altijd kan voelen. Ze is net een geamputeerd been, weg maar toch nog altijd aanwezig. En hoe ouder hij wordt, hoe minder belangrijk het lijkt dat hij in zijn eentje tegen zichzelf zit te praten, terwijl de herinnering aan haar scherper wordt, zelfs als alles om hem heen waziger wordt.

13

Door het trage verloop van Carols week is het niet moeilijk om te besluiten nog een paar vrije dagen te nemen.

'Ik had geen zin iets over Bobs knobbeltje te zeggen. Het leek gewoon gemakkelijker om te vertellen dat ík ziek ben,' zegt ze tegen Helen.

Ze maken een wandeling in het herfstige park, allebei goed ingepakt tegen de kou. 'Ze vroegen niet eens iets, het leek wel alsof ik iets vertelde wat ze al jaren wisten.'

'Hoe gaat Bob ermee om?'

'Niet goed. Maar datzelfde had ik over de wereldbeker kunnen zeggen. Bob gaat nergens goed mee om. Gelukkig houdt *World of Warcraft* hem bezig. Mijn eeuwige man-kind.'

'En hoe gaat het met jou?'

'Ach, ik... Ik doe gewoon wat ik altijd lijk te doen. Ik help hem op de been te blijven.'

'En dat is precies wat je in dit geval moet doen.'

'In tegenstelling tot de afgelopen twintig jaar, bedoel je?'

Helen geeft geen antwoord.

'Ik heb de halve nacht wakker gelegen en stelde me voor dat Bob in de *Daily Mail* vertelde over zijn dertigjarige strijd tegen de kanker en zei dat hij dit niet zonder mijn steun had kunnen doen. En ik stond op de achtergrond, kromgegroeid doordat ik hem altijd zijn dienblad met eten moest brengen en zijn ondersteek steeds moest legen, terwijl ik dacht: Sterf, verdomme, ga toch dood!'

Voorbijgangers kijken haar wantrouwig aan, maar Carol ziet het niet.

'Daarna denk ik dat hij me nu heel erg nodig heeft... Als ik hem nu zou verlaten, is het net alsof ik een puppy op de snelweg achterlaat.'

Ze wordt zo verdrietig bij die gedachte dat ze de slanke, gespierde jongeman niet opmerkt die hen met een atletische, zelfverzekerde pas passeert. Maar voor Helen is hij net een soort kattenkruid.

'Ik verlang gewoon naar passie,' zegt Carol, die Helens begerige blikken niet opmerkt. 'Ik wil de romantische held Heathcliff uit *Wuthering Heights*.'

'Ga dat boek dan lezen of haal de dvd.' Helen draait zich om naar de jogger die op zijn gespierde benen haar leven uit rent.

'Ik heb altijd gedacht dat ik me tussen mijn dertigste en mijn veertigste zou bezighouden met biologische groenten en dinertjes met interessante mensen.'

'Biologische producten zijn zo ontzettend duur...' Helen lijkt nu gedeprimeerd, omdat de jogger zich niet ook naar haar omdraait; niet eens is blijven stilstaan en haar hier ter plekke heeft genomen, op een van de schommels of tegen de vochtige schors van de eiken.

Carols stem brengt haar terug naar de realiteit. 'Ik dacht vannacht aan Richard.'

'Ik dacht wel dat je over hem zou beginnen,' zegt Helen. 'Meteen al toen je het laatst over Athene had, wist ik dat ik erop kon wachten.'

'Ik weet dat je het maar niks vindt...'

'Richard is een oude vlam. Hij was maar een bevlieging.'

'Dat was Bob ook, maar moet je ons nu zien.'

'Toch heeft het geen zin.'

'Misschien wil ik gewoon weten waar hij naartoe is gegaan.'

'En hoe moet dat deze toestand voor jou of Bob verbeteren? Hij speelt geen rol meer in je leven. Meer dan dat hoef je echt niet te weten.' Omdat ze zich kennelijk ongemakkelijk voelt doordat ze de rol van *bad cop* speelt, zegt ze, iets vriendelijker nu: 'Weet je, je zou een brief aan het universum moeten schrijven. Je bent in je hoofd met zoveel dingen bezig. Soms moet je het daar gewoon uit zien te krijgen, het van je af schrijven.'

Ze klinkt zo overtuigend dat Carol zichzelf eraan moet herinneren dat dit de vrouw is die een fase heeft doorgemaakt waarin ze haar eigen urine dronk. Zelfs nu nog is Carol voorzichtig met de drankjes die ze uit Helens koelkast haalt.

'Goed, ik zal erover nadenken,' zegt ze.

'Volgens mij weten we allebei wel wat dat betekent.'

'Nee, echt,' zegt Carol, er ondertussen heilig van overtuigd dat ze nooit meer zal proberen een brief te schrijven. 'Je moet me gewoon wat tijd geven.'

14

‘Ik hoorde dat je ziek was.’

‘Niet echt,’ zegt Albert. ‘Ik had gewoon een vrije dag.’

Zijn collega Mickey Wong lijkt daar even over na te denken. ‘Je drukte dus gewoon je snor?’

‘Nee, echt niet. Het was Darrens voorstel.’

‘Ja, natuurlijk. Die rukker. Als je erover nadenkt, is het een soort corruptie: iedereen misbruikt het systeem voor zijn eigen plezier. De boel is hier zo rot als een mispel. Het hele land eigenlijk...’

Albert vindt het nogal vergezocht om één twijfelachtige ziektedag – zijn eerste in veertig jaar – als reden te zien om het hele land te veroordelen, maar ja, zo is Mickey nu eenmaal.

Hij ziet eruit als een typische Chinees, een grote uitvoering van voorzitter Mao. Maar zodra hij zijn mond opendoet, komt er Londense straattaal uit. Als je met je ogen dicht naar hem zou luisteren, zou je denken dat je in het slechte deel van Hackney verzeild bent geraakt en dringend op zoek moet naar een politieagent of een lege taxi.

Mickeys favoriete gespreksonderwerpen maken het er niet beter op. Je zou kunnen zeggen dat hij gespecialiseerd is in botte eerlijkheid en agressie, en bovendien is hij zich altijd heerlijk onbewust van andermans gevoelens. Wat dat betreft is een gesprek met Mickey nooit een rustige uitwisseling van meningen maar een willekeurige scheldkanonnade, het verbale equivalent van neergemaaid worden door een machinegeweer.

‘Maar je hoeft je niet schuldig te voelen omdat je je snor hebt gedrukt,’ zegt hij tegen Albert. ‘Ik bedoel, wat ben je nou eigenlijk? Niet meer dan een radertje in een grote klotemachine. Een machine die zich nog nooit iets van jóú heeft aangetrokken. En nu ga je met pensioen, dus vergeet het maar. Je bent niets. Minder dan niets.’

Albert probeert zich te troosten met de gedachte dat dit Mickeys manier is om hem te steunen. ‘Je vindt het misschien gek,’ zegt hij, ‘maar ik zal dit hier toch wel missen.’

‘Maar niemand hier gaat jóú missen, weet je? Dat is zo tragisch. Ik bedoel, ze vinden jou gewoon oud en nutteloos, dus mag je oprotten. Je hebt zelfs niets meer te doen, toch? Je komt gewoon binnen en probeert net te doen alsof je druk bezig bent.'

Hoewel dit waar is, vindt Albert het toch nodig om te protesteren. 'Ik heb echt wel iets te doen.'

'Ach, onzin! Op de wc met je piemel zwaaien telt echt niet mee, hoor! Maar dat is hun schuld, Albert, niet de jouwe. Daarom zeg ik dat het allemaal klootzakken zijn, allemaal. En nu hebben ze het over privatisering. Dat gaat ons allemaal de kop kosten, wedden?' Hij kijkt om zich heen alsof hij zich al kan voorstellen dat het hier in het honderd loopt. 'Geloof me maar, Albert, jij gaat net op tijd met pensioen. Tegen de tijd dat ik met pensioen ga, is er misschien helemaal geen geld meer.'

'Denk je dat echt?'

'Wat kan jou dat nou schelen? Dan ben jij allang dood.'

Als uit het niets verschijnt Darren en hij gaat met een geforceerde glimlach tussen hen in staan. 'Albert, ik heb een speciale taak voor je.'

'Als hij gepijpt wil worden,' zegt Mickey luidkeels, 'moet je niet vergeten je tanden te gebruiken.'

Even hangt er een gespannen stilte. Darrens managementtraining heeft hem kennelijk niet op dit soort ogenblikken voorbereid. Hij dwingt zichzelf te glimlachen. 'Albert, loop even met me mee...'

Hij neemt Albert mee bij de grootste drukte vandaan en uiteindelijk lopen ze een klein vertrek binnen vol stoffige postzakken. Hoog in de muur ziet Albert een klein, smerig raam met tralies ervoor, waardoor alleen een grauwe, bewolkte lucht te zien is.

'De onbestelbare post,' zegt Albert. 'Dit is allemaal troep.'

'Nee, Albert, dit is een... een postdoorstuurcentrum.' Darren zegt dit zonder een spoortje ironie, hoewel deze post niet verder zal worden doorgestuurd dan naar de dichtstbijzijnde brandstapel. 'Ik dacht dat je er je laatste weken maar eens bovenop moest gaan zitten.'

'Waarop?'

'Nou, zie je het dan niet? Het is nogal een rommeltje. En daar liggen de brieven aan de Kerstman. We zouden een paar van die brieven moeten bewaren. Je weet wel,' voegt hij er knipogend aan toe, 'en ze naar de Noordpool sturen. Het zou argwaan wekken als de Kerstman alle kinderen in ons postdistrict zou negeren.'

'Ik zou niet weten waarom. De meesten zijn leugenachtige rotzakjes.'

'Maar goed, we hebben deze ruimte al veel te lang genegeerd. Het wordt het slotstuk van je carrière als je dit op orde brengt.'

'Dus ik zoek het allemaal uit en daarna wordt het weggegooid?'

'Vernietigd, Albert. Omwille van de privacy van de afzenders.' Hij aarzelt, zich duidelijk bewust van het feit dat hij de vraag niet beantwoordt. 'De Royal Mail heeft bepaalde normen, Albert. Zeker jij zou dat moeten weten. Zolang deze brieven bij ons liggen, moeten ze worden... gemanaged.' Hij kijkt op zijn horloge. 'Luister, ik moet naar een vergadering, maar laat me weten of je iets nodig hebt, oké?'

Hij gaat weg en nadat het geluid van zijn voetstappen is weggestorven, ontstaat er een stilte die Albert maar al te goed kent.

15

Op een vrijdagmiddag heeft Bob een afspraak met de specialist, met als gevolg een sombere diagnose waardoor het hele weekend wordt verpest.

'Ze willen me volgende week opereren,' zegt hij.

'Ach, je kunt het maar beter kwijt zijn,' zegt Carol. Meteen realiseert ze zich dat dit geen handige opmerking was. Zelfs Bob lijkt het ongevoelig van haar te vinden. 'Ik bedoel, als er een probleem is, weet je, moet je er gewoon vanaf.'

Eerlijk gezegd voelen ze zich niet echt op hun gemak als ze het hierover hebben. Zelfs nu ze al twintig jaar getrouwd zijn en in die tijd af en toe seks met elkaar hebben gehad, vinden ze het geen van beiden gemakkelijk om over zijn ballen te praten. En nu Bobs ballen het middelpunt van hun leven zijn geworden, wordt elk gesprek bemoeilijkt door hun gêne.

'Het schijnt niet veel voor te stellen,' zegt hij.

'Dat dacht ik al.'

'Ik kan de volgende dag al naar huis. En zelfs met eh, nou ja, zelfs met die ene ben ik nog steeds vruchtbaar.'

Carol heeft geen idee hoe ze hierop moet reageren. Ze heeft natuurlijk zo vaak mogelijk geprobeerd seks met hem te ontwijken, maar hij is waarschijnlijk al jaren onvruchtbaar. Al hield ze wél van hem, dan nog kan ze zich amper voorstellen dat ze op haar achtendertigste nog een kind van hem zou willen. Daardoor zou ze ook tussen haar veertigste en zestigste haar leven verkloten.

En hoe zou Sophie het vinden om een jonger zusje of broertje te hebben? vraagt ze zich af. Ze kan zich wel goed voorstellen dat haar dochter dat kind zal verfoeien, indoctrineren of zelfs vermoorden, maar niet dat ze een gelukkig gezinnetje zullen vormen.

Carol realiseert zich dat Bob haar aankijkt en duidelijk zit te wachten tot ze hem geruststelt en zegt dat zijn vliegtuig nog steeds op één motor zal kunnen vliegen. 'Tja... geweldig,' zegt ze, zich er heel goed van bewust dat ze misschien nog iets anders moet zeggen, zonder dat ze weet wat dan. 'Als ik ooit zwanger wil worden, weet ik dus bij wie ik moet zijn.'

Het is niet bepaald een huldiging van zijn mannelijke bekwaamheid, maar ze weet dat mannen als Bob elk complimentje dat ze krijgen moeten koesteren. Het is namelijk niet zo dat hij zijn leven lang wordt bewonderd en begeerd door het andere geslacht – of door hetzelfde geslacht, voor zover ze weet. Carol heeft geen homoseksuele vrienden, maar ze weet vrij zeker dat de doorsnee homo zichzelf niet gauw met Bobs foto zal bevredigen.

'Weet je al wat je dit weekend wilt gaan doen?' vraagt Bob.

'Nee, dat zou ik jou moeten vragen.'

Het is wel duidelijk dat Bob had verwacht dat ze dit zou zeggen. Ze weten allebei dat dit zijn dag is, zijn week, misschien wel veel meer dan dat.

'Jij mag het zeggen,' zegt Carol. 'Dit hele weekend draait om jou.'

Als het eindelijk maandagochtend is, zou alleen een kernramp Carol ervan kunnen weerhouden naar kantoor te gaan. Ze zou zelfs blootsvoets over de smeulende puinhopen van Londen naar haar werk willen lopen, alleen maar om bij Bob weg te kunnen.

Zonder dat ze genoeg feiten had om een menslievende conclusie te kunnen trekken, had Sophie kennelijk besloten dat haar ouders zich als een stelletje zielige losers gedroegen en was een paar dagen bij een vriendin gaan logeren. Met Bob als enige gezelschap en niet gestoord door de gebruikelijke rompslomp van het gezinsleven, had Carol het hele weekend muzikaal zitten navelstaren: ze had op YouTube heel veel video's van Kate Bush bekeken – allemaal verschillende keren – en ze had met een stoffige verzameling polsbandjes van verschillende muziekfestivals urenlang aan vroeger gedacht.

Carol had Kate Bush nooit eerder beschouwd als symptomatisch voor een psychisch probleem, maar Bob was erin geslaagd dat voor altijd te veranderen. Vooral toen ze voor de vierde keer naar *Army Dreamers* luisterden. 'Dit zouden ze bij de rekruteringskantoren van de krijgsmacht moeten draaien,' zei Bob. 'Zij vertelde over Irak en wij wilden niet luisteren.'

'Bob, het was 1983!'

'Maar zij zag het aankomen. Luister dan!'

De polsbandjes van de muziekfestivals hadden de stemming iets verbeterd. Carol dacht hierdoor niet zozeer terug aan de muziek, maar wel aan de modder, de lange rijen voor stinkende wc's en de eindeloze files.

Bob had het verleden heel handig herschreven, zodat elk polsbandje een sentimentele hulde betekende aan betere, gelukkiger en onschuldiger tijden. 'Dat was een van de beste dagen van mijn leven,' zei hij over een van de vele slechte optredens. 'Die band was waarschijnlijk het beste wat de jaren negentig hebben voortgebracht.'

Carol wees hem erop dat de band niet echt uit de jaren negentig afkomstig was, maar tegelijk met dat decennium zelf uit ieders herinnering was verdwenen. En dat de bandleden nu waarschijnlijk bij een benzinestation of een supermarkt werkten.

Geen wonder dus dat ze op maandagochtend letterlijk uit haar bed springt.

'Het nog geen zeven uur!' zegt Bob als ze naar beneden rent, al helemaal aangekleed en klaar om te vertrekken.

'Ik moet nog heel veel werk inhalen.'

'Blijf hier dan in elk geval nog even ontbijten.'

'Ach, ik koop onderweg wel iets.'

Opeens merkt ze dat Bob, de mogelijke kankerpatiënt, in de gang staat en er verloren uitziet. Ze blijft staan en probeert bezorgd te klinken. 'Komt het wel goed met je?' Alsof het mij iets kan schelen.

'Ja hoor,' zegt hij ongelukkig. 'Het komt wel goed.'

Snel geeft ze een kus op zijn voorhoofd – even seksueel als Florence Nightingale op een tbc-afdeling – en verlaat het huis.

Carols enthousiasme voor haar werk verdampt zodra ze binnenkomt. De felle verlichting en het steriele meubilair zijn in elk opzicht een verlengstuk van haar leven thuis, zodat ze het gevoel krijgt dat ze nog steeds aan Bob vastzit, maar dan in een andere vorm.

Daar staat Bob de ongemakkelijke stoel. En Bob het bureau heeft de verkeerde hoogte. Aan de andere kant van het vertrek staat Bob het fotokopieerapparaat dat of vastloopt of de kopieën verkreukelt, of beide. O ja, en hoe zou ze de kantoormascotte, Bob het potje oploskoffie, kunnen vergeten?

'Wat ben je vroeg,' zegt Cynthia, wier bureau pal naast dat van Carol staat.

'Ach, je kent me toch,' zegt Carol. 'Maandagochtend en zo.'

Cynthia gaat aan haar bureau zitten en begint omslachtig een muffin te eten: langzaam trekt ze het papiertje eraf. Het doet Carol aan seks denken, alsof ze iets anders van plan is dan hem in haar mond te stoppen.

'Dat is geen uitgebreid ontbijt,' zegt Carol.

'Dat is het ook niet,' zegt Cynthia en ze neemt een hapje. 'Ik heb al ontbeten, dit is een snack om mijn energieniveau op peil te houden.'

Cynthia weegt ruim honderdvijftig kilo, waardoor de kans groot is dat ze veel meer energie nodig heeft dan de meeste mensen om naar het toilet te lopen en waarschijnlijk zelfs om stil te zitten en adem te halen. Ondanks het feit dat ze gevaarlijk dik is, weet iedereen dat ze altijd meteen in de verdediging springt als iemand iets over haar gewicht zegt. 'Iedereen in mijn familie is zo,' zegt ze meestal.

'Dat komt doordat jullie allemaal gulzigaards zijn,' zei iemand toen een keer en die persoon werd nog diezelfde dag overgeplaatst naar een ander kantoor.

Sinds die tijd durven Carol en haar collega's het niet meer aan om iets over Cynthia's gewicht te zeggen. Ze kijken alleen maar wanneer ze zich elke dag weer een weg door haar dag eet, en maand na maand dikker wordt. Carol vraagt zich af waar dit zal eindigen. Of het bedrijf min of meer gedwongen zal zijn te investeren in een hijskraan die haar voor het gebouw moet optillen en naar binnen moet hijsen. En of aan iedereen beschermende kleding zal worden verstrekt voor het geval ze ontploft.

'Waar zat je vorige week eigenlijk?' vraagt Cynthia en ze pakt nog een muffin uit haar tas.

'Mijn man was ziek.' Carol heeft het gevoel dat dit een wel heel zwakke weergave is van haar dramatische week en voegt eraan toe: 'Het is zijn bal. Ze denken dat hij kanker heeft.'

'Jee, wat erg!' Cynthia heeft kennelijk geen zin meer in het muffinvoorspel; ze trekt het papiertje eraf en neemt een grote hap. 'Ik weet niet wat ik zou doen als het mijn man was,' zegt ze en ze spuugt tijdens het praten een paar kruimeltjes op haar toetsenbord.

Carol weet dat Cynthia zich nooit in haar situatie zal bevinden; als haar echtgenoot ook maar een beetje op haar lijkt, heeft hij zijn ballen al tientallen jaren niet gezien of zelfs maar aangeraakt. Dan was hij hoe dan ook allang overleden aan iets anders voordat de kanker hem te pakken zou kunnen nemen. 'We leven nu van de ene dag in de andere.'

'Het leven,' zegt Cynthia ten slotte, 'is klote.' Ze lacht om haar eigen grapje, nog steeds met een volle mond.

Carol is bang dat Cynthia elk moment in haar muffin zal stikken en staat op om een kop koffie te halen. Als dat gebeurt, lijkt het gewoon gemakkelijker en wel zo aardig om haar maar dood te laten gaan.

De rest van de dag is ze bezig in een nevel van onzinnige taken, zodat Carol halverwege de middag niet kan bedenken wat erger is: naar haar werk gaan of naar huis gaan.

Dan belt Bob. 'Ik heb goed nieuws,' zegt hij. 'Nou ja, min of meer. In elk geval is het geen slecht nieuws. Ik bedoel, in deze situatie zou slecht nieuws heel erg slecht nieuws zijn en dat is dit niet.'

'Bob, wat probeer je me te vertellen?' Het komt er zo ongevoelig uit dat Bob hoorbaar in elkaar krimpt.

'Ik ga naar een andere specialist.'

'Oké...' zegt Carol verwachtend dat hij het wel zal uitleggen.

Niets.

'Waarom?'

'Mijn baas vindt dat ik een second opinion moet vragen. Via de bedrijfsgeneeskundige dienst. Aan een particuliere arts.' Hij zegt het met trots, alsof hij net een promotie heeft gekregen in plaats van de kans een testikel door een specialist te laten verwijderen.

'Hij zei dat ik er zoveel tijd voor moet nemen als nodig is en zoveel specialisten moet bezoeken als ik wil.'

Dat is een vriendelijk aanbod, maar het klinkt ook als een handige manier om hem bij zijn kantoor vandaan te houden: waarom zou je maar één of twee diagnoses vragen, als je er tien of twintig kunt krijgen? Specialisten zouden hem kunnen vertellen dat zijn beide benen geamputeerd moeten worden, misschien dat hij ook een levertransplantatie nodig heeft en het bedrijf zou waarschijnlijk proberen hem daartoe over te halen ook, alleen maar omdat hij dan wat langer thuisblijft.

'... en dat is dus morgenmiddag,' zegt Bob, hoewel Carol niet meer weet waar hij het over heeft. 'En daarna zien we wel weer.'

'Ja,' zegt ze, zo geduldig als ze kan. 'Ja, dan zien we wel weer.'

Wat ze tegen hem wil zeggen is dat hij moet opschieten: dat hij zijn bal moet laten verwijderen, zodat hij kan doorgaan met zijn leven en zij met het hare. Dit is de eerste keer dat ze schrikt van de intensiteit van haar woede. Ze weet dat, als ze nog één woord zegt, alle frustratie die ze de afgelopen jaren heeft opgekropt naar de oppervlakte zal komen waardoor Bobs mogelijke zaadbalkanker al heel snel zijn minste probleem zal zijn. Daarom dwingt ze zichzelf een vriendelijkere toon aan te slaan en zegt: 'Luister Bob, ik ben nu even ergens mee bezig...'

'O, dat geeft niet, hoor. Ik moet mijn nieuwe specialist even bellen. Je weet wel, die particuliere...'

Nadat hij heeft opgehangen, zit Carol nog een tijdje met de telefoon in haar hand en weet dat ze op het punt staat iets geks te doen, al weet ze nog niet wat. Ze kan zich voorstellen dat ze opstaat en keihard 'Verdomme!' roept. Ze kan zich net zo goed voorstellen dat ze de telefoon neerkwakt zodat hij in duizenden stukjes uiteenvalt en dat ze het kapotte kunststof apparaat daarna net zo lang te lijf gaat tot er een gat in de vloerbedekking zit.

In plaats daarvan doet ze iets totaal onverwachts.
Ze pakt een blanco vel papier en begint te schrijven.

Een halfuur later ziet Carol er veel gelukkiger uit. Als ze de envelop dichtplakt, realiseert ze zich dat ze zich al heel lang niet meer zo tevreden heeft gevoeld.

Het is uitgesloten dat ze hem verbrandt. Dat zou ze natuurlijk weer kunnen proberen, in de privacy van haar eigen huis, maar het leven is al erg genoeg zonder dat ze het huis ook nog eens laat afbranden.

'Ik ga even weg,' zegt ze tegen Cynthia die alleen even knikt – een gebaar dat vast en zeker buitengewoon veel inspanning vergt – en vervolgens doorgaat met het leegeten van een zak M&M's.

Carol loopt met een toenemend gevoel van opwinding naar de liften. Ze weet al wat ze gaat doen, maar zelfs zij kan het nauwelijks geloven.

Als ze naar buiten gaat, denkt ze aan mensen die bidden en zich daardoor beter voelen. Niet alleen omdat ze hebben gezegd wat ze op hun lever hebben, maar ook omdat ze denken dat iemand hen heeft gehoord. Maakt het iets uit of dat echt zo is? Nee, niet echt, denkt Carol. Het belangrijkste is dat het kán.

Ze blijft met bonkend hart voor een brievenbus staan. Met een trillende hand tekent ze een smiley in de rechterbovenhoek van de envelop en stopt hem erin.

En zodra ze hoort dat hij op de bodem van de brievenbus valt, voelt ze zich beter.

16

Tijdens de eerste dag van zijn nieuwe baan probeert Albert het vertrek op te ruimen, iets waarvoor hij heel veel theepauzes nodig heeft.

Hij had er het hele weekend tegen opgezien om weer naar zijn werk te gaan, maar nu is hij alweer de hele maandag bezig met het uitzoeken van de post. Hij legt bijvoorbeeld alle brieven aan de Kerstman op een stapel. Hij vindt ook heel veel brieven aan God, alsof het postbedrijf het grootste mysterie van het leven heeft kunnen oplossen. Terwijl de rest van de wereld nog discussieert of God eigenlijk wel bestaat, weet de Royal Mail niet alleen het antwoord, maar ook Zijn adres.

'Mafkezen zijn het, allemaal,' mompelt Albert en hij smijt de brieven in de afvalbak.

Dinsdag leest hij een paar van de brieven. Dat hoort eigenlijk niet bij zijn werk, maar zijn afzondering verandert zijn interpretatie van de regels enigszins. Hij is hier naartoe verbannen, omdat niemand hem in de buurt wil hebben. Daarom is dit eigenlijk geen baan, maar eerder zijn persoonlijke koninkrijk. Hij kan doen wat hij wil.

Hij heeft al snel door dat de kwaliteit van de envelop een goede aanwijzing is voor de inhoud ervan. Mensen die geld aan een goede envelop uitgeven, hebben echt iets te zeggen. Zelfs de brieven die kinderen aan de Kerstman sturen, zijn meestal op kostbaar papier geschreven. Op dit moment leest Albert de brief van een kind dat vraagt om 'minstens vijfhonderd pond in cash en een andere pony (maar geen zwarte, zoals dat beest dat u vorig jaar stuurde)'.

'Jij ook een fijn kerstfeest,' zegt Albert en hij scheurt de brief doormidden.

Dan hoort hij voetstappen en probeert eruit te zien alsof hij het druk heeft.

Een puisterig joch van een jaar of achttien komt binnen met een stapeltje brieven. Zwijgend overhandigt hij ze aan Albert en loopt weer weg. Zijn manier van doen suggereert niet dat hij beperkte verstandelijke vermogens heeft, maar dat hij die helemaal niet heeft.

Albert bekijkt de nieuwe post alsof die voor hemzelf is. Een paar adressen zijn in zo'n onleesbaar handschrift geschreven dat het alles kan zijn: oud-Sumerisch misschien, of Egyptische hiëroglyfen.

'En dat kan toch?' zegt hij tegen zichzelf. 'Een brief die al vijfduizend jaar in het Britse postsysteem zoek is. Ik heb wel ergere dingen gehoord.'

En dan ziet hij hem: een blanco witte envelop, niet van de allerbeste kwaliteit, maar acceptabel. Met in de hoek een smiley.

Zonder er zelfs maar over na te denken maakt hij hem open.

17

Lieve...

Ik ga je niet Universum noemen, want dat klinkt stom vind ik. En God ga ik je zeker niet noemen. Croydon is het ultieme bewijs van het feit dat God niet bestaat.

Goed, ik noem je dus maar gewoon Jij. En dan ben ik Ik.

Albert voelt zich schuldig. Dat hij de regels overtreedt door allemaal onzin te lezen is één ding, maar nu hij zoiets vindt...

Hij overweegt de brief weg te gooien, maar dat kan hij niet. De woorden echoën al in zijn hoofd: '... ik noem je dus maar gewoon Jij. En dan ben ik Ik.'

Hoewel de brief niet tegen een bepaald iemand praat, heeft Albert toch het gevoel dat de woorden aan hem zijn gericht. En dat is natuurlijk meer dan genoeg rechtvaardiging om hem te lezen.

Hij trekt zijn stoel naar de hoek van het vertrek, zodat hij als er iemand onverwacht binnenkomt nog genoeg tijd heeft om de brief te verstoppen.

Zijn hart klopt sneller nu, en hij leest verder.

Ik heb zin om te schreeuwen. Geen goed idee natuurlijk als je in een kantoor zit met allemaal mensen om je heen. Iedereen is zo duf vlak na de lunch, zodat de helft zich volgens mij dood zou schrikken als ik nu keihard zou gaan schreeuwen. Zeker de vrouw die naast me zit. Maar goed, in plaats daarvan schrijf ik dus deze brief aan jou.

Ik wil je iets vertellen: mijn leven is net een chocoladesoufflé. Zo eentje waar je urenlang mee bezig bent geweest en die er, zodra je hem dan uit de oven haalt, uitziet als een vermorzelde kat. Hij is niet gevaarlijk, hij is geen massavernietigingswapen, maar hij is gewoon niet wat hij zou moeten zijn. Hij is een teleurstelling. Je kijkt ernaar en denkt: Er is iets niet goed gegaan. En dat is het dan, ja toch? Je kunt hem niet gewoon weer in de oven zetten en hem daar nog een paar minuten laten staan. Het is geen puinhoop die bezig is iets anders te worden. Het is gewoon een puinhoop.

Mijn eigenlijke probleem is volgens mij het feit dat ik het niet tegen mijn gezin kan zeggen dat ze me ongelukkig maken. Dat klinkt heel eenvoudig, hè? Je bent verdrietig en je vertelt wat je dwarszit. Maar voor mij werkt dat kennelijk niet zo. Ik hoor de woorden in mijn hoofd en ik voel ze in mijn keel, maar ik krijg ze niet echt mijn mond uit. Want ik heb het overweldigende gevoel dat mijn eerlijkheid een ander iets afschuwelijks zal aandoen, alsof mijn eerlijkheid per ongeluk een paar van zijn ledematen kan afhakken of hem kan doden.

Een paar dagen geleden probeerde ik een gesprek te voeren met mijn tienerdochter. Ik vroeg haar hoe het met haar studie ging, zoiets. En halverwege mijn vraag zegt ze dat ik dat soort dingen maar beter niet meer kan vragen, omdat ze er helemaal geen zin meer in heeft om allerlei ingewikkelde dingen aan me uit te leggen en dat ze er moe van is allerlei eenvoudige dingen verkeerd te zeggen. (Of misschien was het anders, dat weet ik nu even niet.) Maar waar het om gaat, is dat ze zei dat ik alleen mezelf maar in verlegenheid breng als ik mijn mond opendoe. Dat ik mezelf in feite al jaren in verlegenheid breng en dat het voor iedereen veel beter zou zijn als ik daar eindelijk eens mee ophield.

Wat moet je dan zeggen? Ik zei natuurlijk niets, dus ik had net zo goed op mijn rug kunnen rollen en haar kunnen vragen me te schoppen. Daarom vraag ik me dus af: wat is er met me aan de hand, verdomme?

Albert wendt zijn blik af, in de hoop dat die vloek vanzelf weg zal gaan als hij er een paar seconden niet naar kijkt. Hij haat dat woord. Het lijkt zo zinloos.

Ik houd van het woord 'verdomme', jij niet? Misschien had ik dát wel tegen mijn dochter moeten zeggen. 'Wat zeg je nou, verdomme?' Dan had ze haar mond wel gehouden. Maar ik vrees dat dit een ander probleem van me is. In plaats van te reageren zoals ik zou moeten doen, ben ik bang dat ik op een later moment een veel ongeschikter weerwoord zal geven.

Ik denk weleens dat het veel beter zou zijn als ik een beetje gek was, want dan zouden de mensen zich in elk geval realiseren dat ze tussen de regels van wat ik doe of zeg door moeten lezen. Als mijn dochter me dan had beledigd, zou ze meteen weten dat ik, ook al leek het alsof ik over me heen liet lopen, eigenlijk bedoelde: 'Als je dat nog één keer zegt, moet je zelf je collegegeld maar zien te verdienen.' Of als ik met mijn man zou praten en zei: 'Laten we een hond nemen,' dat hij dan – in het licht van mijn psychische gesteldheid – zou weten dat ik eigenlijk bedoelde 'Ik ga je verlaten.' (Je moet weten dat onze hond een paar jaar geleden van ouderdom is gestorven.)

Ik was helemaal niet van plan je dit allemaal te vertellen, maar het is verrassend makkelijk om in een brief dingen te bekennen. Daardoor vraag ik me af of ik je ook over mijn tienerjaren zou moeten vertellen. Dat ik op allemaal verkeerde plaatsen (meestal op handen en knieën) op zoek was naar de liefde. Ach, dat moet ik misschien maar voor een andere keer bewaren. Een brief schrijven lijkt zo'n degelijke, ouderwetse bezigheid dat een beetje decorum misschien wel gepast is.

Schrijven mensen tegenwoordig eigenlijk nog wel brieven? Het lijkt alsof brieven in een ander tijdperk thuishoren, zoals de melkboer of foto's laten afdrukken. Kun jij je die tijd nog herinneren, dat je een week moest wachten voordat je wist of je vakantiefoto's slecht en onscherp waren?

Albert houdt op met lezen. Hij heeft al veertig jaar geen foto's meer laten afdrukken en om de een of andere reden maakt die gedachte dat hij zich oud voelt, als een overblijfsel uit een andere eeuw.

Het waren de foto's van de reis naar Wales met zijn vrouw, van hun laatste vakantie samen, hoewel ze dat toen nog niet wisten. Toen ze de foto's terugkregen, waren de meeste waardeloos – je kon zien hoe Wales eruit zou zien als je jezelf aan een raket zouden vastbinden of er op lage hoogte overheen zouden vliegen – maar toch waren het herinneringen, herinneringen aan iets mafs en onzinnigs waardoor de vakantie ondanks de regen toch heel plezierig was geweest. En nadat zijn vrouw was overleden, maakten ze deel uit van haar nalatenschap: de onscherpe foto's die ze had gemaakt doordat ze te hard had gelachen om de fotocamera stil te houden en de negen verschillende foto's van Alberts voeten omdat ze elke keer dat ze hem kuste per ongeluk op het knopje had gedrukt.

Het is vreemd hoe de jaren verstrijken, vind je niet? Dat bepaalde herinneringen zo ver weg lijken en andere zo reëel dat je het gevoel hebt dat je ze bijna kunt aanraken.

De laatste tijd denk ik vaak aan het verleden. Aan een bepaalde man uit mijn verleden om precies te zijn. Maar meer aan hem in de toekomst.

Bedankt voor het luisteren.

C.

18

Het blik is niet bedoeld om er brieven in te bewaren. Deze brief had niet eens in dit huis mogen zijn. Maar zo gaat dat in het leven: er gebeuren heel veel dingen die niet zouden mogen gebeuren.

'Het is net zoiets als die jongelui die op straat rondhangen,' zegt Albert tegen Gloria. 'Je zou blozen als je wist hoe ze mevrouw Hodgkins vorige week noemden. Ik heb die vrouw nooit gemogen, maar volgens mij is het ongepast om dat soort dingen te zeggen, laat staan ze door het raampje van een rijdende bus te schreeuwen.'

Hij verstopt het blik in het keukenkastje, nog steeds bang dat de politie elk moment het huis kan binnenstormen op zoek naar dat ene iets waarvan hij nooit had kunnen denken dat hij het ooit in bezit zou hebben: een gestolen brief.

'Eigenlijk schreef ze hem aan mij.'

Gloria knippert een keer; het is lastig te zien in wat voor stemming ze is.

'Ze heeft al die moeite heus niet genomen om die brief door de Royal Mail te laten verbranden. Niemand die goed bij zijn hoofd is zou een brief schrijven alleen maar om hem in de fik te laten steken.'

Hij schenkt wat melk voor Gloria op een schoteltje, een onbewuste vorm van emotionele chantage.

'Feitelijk is het een kwestie van wat je vindt mag je houden, ja toch?'

Luid spinnend drinkt Gloria haar melk op, wat Albert interpreteert als een teken van algemene goedkeuring: dat hij een goede man is met een goed hart, niet in staat een misdaad te plegen.

Het is al vroeg in de avond, tijd voor Albert om aan zijn gebruikelijke avondritueel te beginnen: eerst een saaie maaltijd klaarmaken en dan naar saaie televisieprogramma's kijken. Hij loopt door de kamer omdat hij duidelijk behoefte heeft aan beweging en bezigheden. 'We zouden vanavond makreel kunnen eten, wat vind jij?'

Gloria kijkt op, met melk op haar lippen en snorharen.

'En taart misschien. Het is al een tijdje geleden dat we een lekker stuk taart hebben gehad.' Voordat hij er zelfs maar over heeft nagedacht, trekt hij zijn jas aan en loopt naar de voordeur. 'Ben zo terug.'

Max is niet buiten, maar Albert weet zeker dat hij zijn voetstappen zal horen. Hij snapt er vast niets van, denkt Albert als hij langs Max' potplanten loopt. Om zes uur weggaan!

Hij loopt naar de kleine supermarkt vlak bij zijn flatgebouw, een gehavende winkel waar een zenuwachtige winkelier vanachter een beveiligde kassa om zich heen kijkt.

Albert loopt langs de stellingen en ziet er niet anders uit dan anders: zijn gezicht een beetje stijf, zijn ogen iets te ver open, een beetje zoals een konijn dat net door een roofdier te pakken is genomen. En toch, voor het eerst sinds jaren, roert zich iets in zijn binnenste. Eerst denkt hij dat het gewoon weer zijn slechte spijsvertering is, maar het voelt ingewikkelder dan dat.

Hij legt twee blikjes makreel in zijn mandje en loopt vervolgens naar de afdeling gebak, terwijl zijn lichaam veel lichter aanvoelt dan eerst. Hij pakt een geglazuurde vruchtentaart - een bijzonder bourgondische traktatie voor een woensdagavond - en realiseert zich dat zij, als hij zichzelf toestaat te dromen, ook al is het maar heel even, hem nog meer brieven zal schrijven en hij aan haar kan denken als aan een vriendin.

19

Carol heeft een doordeweekse avond altijd beschouwd als de ultieme gezondheidstest voor een gezin. In het weekend is het niet moeilijk om te vergeten dat je de pest aan elkaar hebt, dan wordt er 's avonds veel gedronken en sta je 's ochtends laat op. Maar op een doordeweekse avond ontbreekt die beschermende cocon en word je geconfronteerd met de wrede werkelijkheid, als een junk met afkickverschijnselen.

Daarom had vanavond een afschuwelijke avond moeten zijn. In elk geval figuurlijk, omdat Bobs zaadbalkanker een schaduw werpt over hun leven, over alles. En ze hebben het Sophie nog steeds niet verteld, waardoor ze van Bobs ziekte een nieuwe leugen hebben gemaakt in een altijd al oneerlijk huwelijk.

Toch is er vanavond iets veranderd. Carol weet niet wat of hoe, maar ze voelt zich gewoon gelukkig.

Dit heeft niets met die brief te maken, denkt ze. Het is alweer een paar dagen geleden dat ze hem heeft gepost en de eerste loutering van die bekentenis veranderde al snel in allerlei emoties – opwinding, angst, blijdschap, onzekerheid – voordat het ten slotte uitmondde in een enorme anticlimax. Wat persoonlijke expressie betreft, was het niet zichtbaar genoeg: minder dan een briefje in een fles en meer een gebroken fles op de bodem van de oceaan.

Op de bovenverdieping hoort Carol het verraderlijke gekraak van een vloerplank. Dat bevestigt wat ze al weet door de kilte die in de lucht hangt: Sophie leeft. Ze heeft Sophie altijd al bewonderd om haar vermogen haar emoties te projecteren, niet alleen binnen een vertrek, maar zelfs door muren en gesloten deuren heen. En wie weet hoe groot Sophies bereik is? Misschien komen alle inwoners van Londen nog een keer tot de ontdekking dat Sophie hun een rotgevoel bezorgt. Het zou Carol niet verbazen als ze hier ooit nog eens midden in de nacht met z'n allen naartoe komen, gewapend met hooivorken en brandende toortsen.

'Zoeken jullie Sophie?' zal ze dan onschuldig vragen. 'Wacht maar, ik haal haar wel even.'

Alsof ze geroepen is komt Sophie de kamer binnenlopen, soepel en atletisch. Ze negeert Carol totaal en loopt meteen door naar Bob die aan de eettafel een legpuzzel zit te maken. Hoewel, eigenlijk zit hij er met een peinzende blik naar te kijken.

Sophie blijft een paar seconden bij hem staan, maar ze kan echte domheid niet lang aanzien. Ze maakt de puzzel voor hem af, haar handen zigzaggen over de tafel om een stukje te zoeken...

'Hoe doe je dat?' vraagt hij.

Dan nog een stukje...

'Wel verdorie!'

Inmiddels zit Bob verbijsterd toe te kijken, alsof hij de hele tijd dacht dat de puzzel onmogelijk af te maken was; een ingewikkeld proces van teleurstelling en frustratie.

Sophie geniet en kijkt even naar Carol, waarop haar grijns onmiddellijk in een frons verandert. 'Waarom zie jij er zo gelukkig uit?' wil ze weten.

'Weet je,' zegt Carol met een brede glimlach, 'eigenlijk weet ik het niet.'

'Ze zit toch zeker in dezelfde kamer als ik?' zegt Bob. 'Dat is genoeg om iedere vrouw te laten glimlachen.'

Carol wil graag zo snel mogelijk ergens anders over praten. 'Ben je al klaar met je huiswerk voor vandaag?' Ze stelt zich voor dat deze poging een gesprek op gang te brengen haar meteen een karma-achtige beloning zal opleveren, de belofte van een beter en gelukkiger leven.

'Misschien ga ik nog even weg,' zegt Sophie met een blik in Carols richting, meer als een radio-uitzending dan als een echt antwoord. Nu ze haar aandeel in het gesprek heeft geleverd, draait ze zich om naar Bob. 'Een beetje geld zou wel handig zijn.'

'Dat hoef je mij niet te vertellen,' zegt hij, een beetje speels. 'Mijn portemonnee ligt in de keuken, naast de chocoladekoekjes.'

'De lege chocoladekoekjesverpakking,' zegt Carol, in de hoop dat ze mee kan doen aan hun grapje.

Sophie laat niet eens merken dat ze Carol heeft gehoord. Als ze naar de keuken loopt, roep Bob haar achterna: 'Heb je een afspraakje of zo?'

'Nee,' snauwt Sophie; haar innerlijke rottweiler zit altijd klaar voor de aanval. 'Ik ga gewoon met een paar vrienden ergens een kop koffie drinken.'

'We zouden het niet erg vinden als je een leuke jongen zou leren kennen, hoor,' voegt Bob eraan toe, duidelijk in een ondeugende stemming. 'Het is prima als je verliefd wordt, weet je. Over twintig jaar zou je net zo'n leven kunnen hebben als je moeder en ik.'

Dat is zo'n deprimerende gedachte dat Carol niet eens merkt dat Bob en Sophie nog steeds met elkaar praten. Het besef dat Sophie de vrijheid heeft om verliefd te worden, dat ze haar hele leven nog voor zich heeft en dan alles zou weggooien voor een man als Bob is zo verbijsterend, zo overweldigend dat Carol alleen maar zwijgend kan blijven zitten en haar uiterste best moet doen om te blijven glimlachen.

20

Het is weer net als in die goeie ouwe tijd. Toen Albert pas uit dienst kwam en op zijn splinternieuwe postfiets door Londen reed. Vanaf het moment dat hij de brief heeft gelezen, is hij vroeg naar zijn werk gegaan en bleef daar tot hij zeker wist dat de post van die dag op onbestelbare post was gecontroleerd.

De oogst van vandaag is armzalig: drie enveloppen, allemaal van papier dat hij het liefst meteen zou willen verbranden.

'Weten jullie zeker dat er niet meer zijn?' vraagt hij aan zijn collega's van de sorteerafdeling.

'Albert, we hebben vandaag meer dan vijftigduizend brieven gesorteerd. Wil je soms dat we die allemaal met de hand controleren?'

Hij wil ja zeggen, hij wil ook wel aanbieden het zelf te doen, want hij heeft de afgelopen nachten niet goed geslapen. Die ene brief heeft alles veranderd.

'Weet je wel zeker dat daar niets zoekraakt?' Hij knikt naar de sorteermachine. 'Ik bedoel, kijk eens naar dat ding. Hij heeft geheimen, dat zie je zo.'

Zijn collega's kijken naar hem, zwijgend, ongelovig.

Het dringt tot Albert door dat hij misschien gek aan het worden is. 'Oké... Nou ja, alles lijkt in orde,' zegt hij en hij loopt naar de deur. Hij zwaait met de drie brieven en probeert er oprecht blij mee te lijken. 'Dit zijn... dit zijn goede aanvullingen op de verzameling. Bedankt voor jullie hulp.'

Het nieuws verspreidt zich snel. Een paar minuten later komt Darren binnen voor 'een gezellig praatje'.

'Vertel eens, hoe gaat het?' vraagt hij.

Albert heeft het gevoel dat Darren hem onderzoekend aankijkt, op zoek naar tekenen van de dementie die hij constant verwacht.

'Alles is tiptop in orde,' zegt Albert, maar daarna is hij bang dat dit te definitief klinkt. 'Ik bedoel dat er nog heel veel te doen is, maar dat ik lekker opschiet.'

‘Uitstekend...’ Darren kijkt om zich heen. ‘En je vindt dit niet te... wat zal ik zeggen, te geïsoleerd?’

‘Nee hoor. Eigenlijk vind ik dat wel fijn. Ik bedoel, dit werk moet immers ook gewoon gedaan worden?’

‘Eh... ja.’

‘En jij wilde dat dit het sluitstuk van mijn carrière werd.’

‘Dit zullen we nooit vergeten, dat weet ik zeker. Maar zolang je hier nog bent, kun je je volgens mij beter bezighouden met alles wat hier al ligt dan met wat er nog bijkomt.’

‘Maar ik wil het allemaal afhandelen.’

Met een medelijdende blik zegt Darren: ‘Natuurlijk wil je dat, maar het zou beter zijn voor iedereen als je de jongens die jou de brieven komen brengen gewoon vertrouwt, oké?’ Hij gebaart naar de uitpuilende zakken die er al staan. ‘Je moet niet vergeten dat dit allemaal waardeloze rommel is, Albert. In werkelijkheid maakt niemand zich hier nog druk over.’

21

Carol vermijdt haar moeder zo veel mogelijk, net zoals ze een uitstrijkje en een tandartsbezoek probeert te vermijden. Maar in tegenstelling tot een uitstrijkje en een tandartsbezoek komt Carol altijd psychisch gekwetst en gehavend bij haar moeder vandaan en zweert ze elke keer dat dit de laatste keer is geweest dat ze bij haar langs is gegaan.

Toch staat ze nu bij haar moeder voor de deur, klaar om de hele cyclus weer te doorlopen. Zelfs als ze op de bel drukt, weet ze niet zeker of ze is teruggegaan omdat ze hopeloos hoopvol is of bewonderenswaardig optimistisch. Of dat ze misschien een diepgewortelde hoop heeft dat het deze keer anders zal zijn.

Deirdre, haar moeder, doet de deur open en zegt met een emotieloze blik: 'Ik hoorde de bel niet. Sta je hier al lang?'

Carol doet haar mond open om antwoord te geven, maar Deirdre is haar voor: 'Volgens mij moeten er nieuwe batterijen in, maar dat hoef ik je vader natuurlijk niet te vragen. Het is dus gewoon nóg iets wat ik zelf moet doen.' Ze houdt de deur open en stapt opzij, waarmee ze Carol zwijgend uitnodigt binnen te komen.

Carol weet niet beter dan dat er een bepaalde sfeer in het huis hangt. De huizen van andere mensen stralen een bepaalde geforceerde, onstuimige of zelfs liefhebbende sfeer uit, maar dit huis voelt leeg. Er hangt geen rustige en meditatieve stilte, maar de stilte van beschamende geheimen en langzaam verval, een stilte die zo intens is dat het bijna een fysieke sensatie is.

Als Carol de woonkamer binnenkomt, is ze meteen in een vrolijker bui. 'Hallo, papa!'

Haar vader vertrekt zijn mond tot een scheve grijns, maar er komt alleen een onverstaanbaar geluid uit, alsof het woord 'hallo' langzaam achterstevoren wordt uitgesproken.

Carol zoekt steun op zijn rolstoel en bukt zich om hem een kus te geven.

'Hij was heel lastig vanochtend,' zegt Deirdre.

'Hoe dan? Het enige wat hij zonder jou kan, is ademhalen.'

'Je begrijpt het niet, want jij hoeft niet de hele dag met hem samen te wonen.' Deirdre wendt zich tot haar echtgenoot en verheft haar stem. 'Vroeger zou je nu dronken zijn, hè? Maar nu niet meer, toch? Dat soort dingen pikken we niet langer, of wel soms?'

Carol voelt dat haar bezoek aan zijn meedogenloze val begint; bijna voelt ze de wind door haar haren terwijl de dag naar beneden dendert. 'Ik vind niet dat je het verleden steeds weer moet oprakelen,' zegt ze.

'Dat kun jij gemakkelijk zeggen.' Deirdre beent naar de keuken, en haar stem dringt als zwaar geschut door de muren heen. 'Ik wil gewoon dat hij weet dat er nu totaal andere regels gelden in dit huis.'

Wat ze bedoelt te zeggen is dat God nu bij hen woont. En Carol vindt dat dit alles over God zegt wat iemand hoeft te weten.

Haar moeders officiële versie van de gebeurtenissen is dat de Goede God haar heeft gered van een tirannieke, dronken echtgenoot door hem te straffen met niet slechts één, maar met drie beroertes. Tegen de tijd dat deze goddelijke afstraffing was afgerond, was hij nog maar een schaduw van zijn vroegere zelf en voor de eenvoudigste pleziertjes totaal afhankelijk van zijn vrouw.

Als God echt machtig zou zijn, vindt Carol het bijzonder vreemd dat Hij haar vader geen ander hart heeft gegeven. Maar dat zou haar moeder natuurlijk helemaal niet goed uitkomen: de God in wie zij gelooft, moet kleinzielig en rancuneus zijn, met een kleinsteedse moraal en een gerechtvaardigde wrok.

'Hoe gaat het met Bob?' roept Deirdre vanuit de keuken.

'O, prima.' Carol besluit dat dit niet het juiste moment is om het over kanker te hebben. Wie weet welke draai haar moeder aan dat nieuws zou geven.

Ze kijkt naar haar vader, die roerloos in de hoek van de kamer zit. Op dit soort momenten maakten ze altijd stiekem een grapje: ze trokken een gezicht zonder dat Deirdre het zag of hij nam snel een slok uit een goed verborgen heupfles.

Toen was haar moeder nog niet zo open over haar geloof. Dat was maar een hobby, de onschuldige genoegens van een niet bijzonder intelligente vrouw. Het machtsvacuüm dat na de beroerte van haar echtgenoot is ontstaan, heeft alles veranderd, als onkruid dat doorwoekert nadat de tuinman is overleden.

Deirdre komt terug met twee bekers thee. 'Hij heeft de telefoon weer van de haak gegooid. Dan denk ik altijd dat jij misschien wel hebt geprobeerd te bellen en dat ik je telefoontje heb gemist.'

'Als dat gebeurt, bel ik later wel terug.'

Deirdre negeert haar opmerking en zegt, met een blik op haar man: 'Hij slaagt erin alles tien keer moeilijker te maken dan nodig is.'
'Je zou blij moeten zijn dat hij zich nog kan bewegen.'
Aan Deirdres gezicht is duidelijk te zien dat ze deze opmerking niet kan waarderen. Misschien is dat het lot, denkt Carol. Als Deirdre echt gelooft dat God haar man heeft getroffen, dan is de telefoon een vreemde herinnering aan het feit dat God niet de man is die ze dacht dat Hij was.
Carol vindt het belangrijker zich af te vragen wat haar vader denkt als hij een keer probeert de telefoon te pakken. Ze wil graag denken dat hij dan probeert haar te bellen, dat zijn zwijgende mond altijd op het punt staat te schreeuwen: 'Haal me hier vandaan, verdomme!'
'Ik ga vanavond naar de kerk,' zegt Deirdre. 'Je zou met me mee moeten gaan. Het is een dienst over de noodzaak tot berouw op de Laatste Dag.'
'Nee, liever niet.'
Deirdre zucht. 'Je leven is te gemakkelijk geweest, dat is het probleem. Jij hebt je baan, je huis, een eigen gezin. Je hebt nooit hoeven geloven.' Ze kijkt even naar Carol en er sluipt een valse toon in haar stem. 'Ik zou weleens willen meemaken dat het leven jou een paar opdonders geeft en zien hoe je het dan redt.'
Carol is zich ervan bewust dat haar moeder ruzie zoekt; haar god is immers een god van de oorlog. Daarom haalt ze diep adem en hapt ze niet. Hoewel Deirdre bazig en intimiderend kan zijn, probeert Carol zichzelf ervan te overtuigen dat het alleen haar geloof is dat haar dit gedrag ingeeft, dat de vrouw eronder klein en broos is, meer een kind dat zich verstopt in haar verkleedkleren. Voor Deirdre is religie geen uiting van haar geloof, maar een surrogaatpersoonlijkheid, een levenslange garantie dat zij nooit hoeft na te denken of haar eigen mening over wat dan ook hoeft te geven. Hoewel sommige mensen hun angsten met drugs of drank proberen te verdringen, heeft zij troost gevonden bij een dogma, een sterke zwart-witte wereld met de gevoeligheid van een stuk ijzer, maar met een gratis toegevoegde irritante zelfvoldaanheid.
'En hoe gaat het met Sophie?'
'Prima. Druk met school.'
'Het zou leuk zijn om haar weer eens te zien.'
'Ze is zeventien. Een lastige leeftijd.'
'Alsof jij iets afweet van de problemen van het moederschap. Je hebt geluk dat Sophie meer van Bob heeft dan van jou.'
Carol wendt haar blik af, zich ervan bewust dat het leven uit haar we-

reld sijpelt; ze heeft het vertrouwde gevoel dat ze langzaam sterft in het bijzijn van haar moeder. Ze wil opstaan en wegrennen, maar het enige wat ze kan doen is blijven zitten en zich in dit vergif laten marineren.

De stilte wordt verbroken door haar mobieltje, dat begint te rinkelen. Als het voor de tweede keer overgaat, neemt Carol snel op. 'Helen!'

'Heb je tijd voor een kop thee?'

Carol aarzelt, zich ervan bewust dat het nu of nooit is. 'Wát?' zegt ze met een geschrokken blik. 'Gaat het wel?'

'Carol? Waar heb je...'

'Ik kom meteen naar je toe...'

'Carol...'

'Nee, nee, doe niet zo stom. Ik ben nu bij mijn ouders, maar die begrijpen het wel. Nee, nee, maak je geen zorgen. Ik ben er over... laten we zeggen een halfuur.' Ze verbreekt de verbinding en zegt met een ernstig gezicht: 'Helen heeft een ongeluk gehad.'

'Hoe gaat het met haar?' vraagt Deirdre.

'Ze heeft zichzelf gesneden met een mes of zo. Het bloedt verschrikkelijk.'

'Dan heeft ze een dokter nodig en niet jou.'

'Nee, nee, het... bloedt kennelijk niet meer, maar ze is behoorlijk van slag. En haar keuken is een bende, dat begrijp je wel.' Ze springt bijna overeind. 'Maar het was fijn jullie te zien. Ik zal Bob en Sophie de groeten doen.' Ze loopt de kamer door en geeft haar vader een tikje op de wang. 'Dag, papa.'

Hij kijkt naar haar op met een smekende blik die van alles kan betekenen: paniek, spijt, zelfmedelijden.

Ze kan zich onmogelijk voorstellen hoe zijn leven er nu uitziet, maar ze weet wel dat heel veel emoties toepasselijk zouden zijn.

'Betekent dit dat je echt langskomt?' vraagt Helen als Carol de wijk waar haar ouders wonen verlaat.

'Nee, sorry.'

'Was het echt zo erg?'

'Dat wil je niet weten.'

'Je zou gewoon kunnen proberen haar de waarheid te vertellen, weet je.'

'Wat? "Ik haat je"? "Ik haat alles van je"? Dat zou onze relatie niet écht verbeteren, wel?'

'Feitelijk hebben jullie geen relatie. En ik weet wel dat je het niet wilt horen, maar ik betwijfel of je ooit een betere band met Sophie kunt opbouwen als je je eigen moeder nog altijd dood wenst.'

Carol antwoordt niet, ze loopt stug door, ze zou wel naar de vergetelheid willen kruipen!

'Je gaat dus naar huis?' vraagt Helen. Het is duidelijk dat ze het nu liever over een veiliger onderwerp wil hebben.

'Huis... O, heet dat zo? Ja, ik ga naar huis en ik ga iets drinken.'

'Wat bedoel je daarmee?' vraagt Helen, gespannen nu. 'Bedoel je een glas wijn of drie flessen wodka?'

Carol wil geen loze beloftes doen. 'Luister, ik moet ophangen.'

'Carol...'

'Maak je maar geen zorgen, het komt wel goed met me.'

22

Albert kijkt naar zichzelf in de badkamerspiegel. Hij is niet ijdel, maar zelfs hij kan wel zien dat hij er slecht uitziet. Door de slapeloze nachten en de constante spanning heeft hij een uitgemergeld en bleek gezicht.

'Ik weet niet eens hoe ze heet!' zegt hij tegen zichzelf. 'Ik weet bijna niets van haar, behalve dat ze zich als een tiener gedraagt.' Hij denkt er nog even over na. Het voelt een beetje vreemd dat hij zoiets weet, zelfs voordat ze elkaar ooit hebben ontmoet. 'Maar tegenwoordig gaat dat anders.' En stiekem weet hij dat hij zelf geen haar beter is: ze zijn niet eens kennissen van elkaar en toch denkt hij al na over een kerstcadeautje voor haar.

Hij bekijkt zichzelf nog iets beter. Zijn ingevallen wangen. De donkere wallen onder zijn ogen. En onzichtbaar, diep vanbinnen, het allerergste: het besef dat hij eenzaam is. Hij is er tientallen jaren in geslaagd deze basale waarheid te ontkennen en nu is er opeens een einde gekomen aan dat bedrog door een eenvoudige brief van een totale onbekende.

'Zie je op tegen je pensioen?'

Dit is misschien wel de meest empathische vraag die Mickey Wong ooit aan iemand heeft gesteld, en daardoor voelt Albert zich nog ellendiger. Dat iemand als Mickey medelijden met hem heeft is een heel duidelijk teken dat Albert wel heel diep is gezonken.

'Ik had gewoon veel aan mijn hoofd,' zegt Albert. 'Je weet wel, met mijn poes en zo.'

Mickey knikt begrijpend en geeft hem de onbestelbare post van vandaag. 'Want het is heel normaal hoor, dat je tegen je pensioen opziet. Het is een enorme verandering.'

'Bedankt, Mickey, heel aardig van je.' Albert schuift de stapel post opzij, zo gedeprimeerd dat hij de brieven niet durft te controleren uit angst voor teleurstelling.

Inmiddels loopt Mickey met een filosofische uitdrukking op zijn gezicht door het vertrek. 'Ik bedoel, als je er goed over nadenkt is pensionering net zoiets als een paard naar de lijmfabriek sturen. Ja toch? Het is niet echt het einde, maar de langetermijnvooruitzichten zijn niet bepaald gunstig.' Het is wel duidelijk dat hij Alberts verbijsterde blik als instemming beschouwt. 'Dus eigenlijk is het helemaal niet vreemd dat je er beroerd uitziet. Je leven is al bijna voorbij, nietwaar?'

Hij gaat weg en door zijn afwezigheid voelt de kamer nog stiller dan daarvoor.

In de lange stilte die hierop volgt, dringt het tot Albert door dat de ongewenste post een perfecte brandstapel voor rituele lijkverbranding zou vormen. Als voor hem echt de tijd is gekomen om naar dat grotere sorteercentrum in de hemel te gaan, zou het toch uitermate gepast zijn om daar naartoe te worden gedragen op de rook van de zoekgeraakte Londense post? Hij betwijfelt of er veel plaatsen zijn waar je in één klap honderdduizend oude brieven en een dood lichaam kunt verbranden, maar als er zo'n plek is, dan is dat waarschijnlijk ergens in Zuid-Londen. Voor de meeste mensen in zijn wijk zouden de bijtende rook en de stank van verkoold vlees waarschijnlijk niet echt een groot probleem vormen.

Dan ziet hij hem.

De omtrek van een smiley steekt onder de stapel post van vandaag uit, maar in plaats van een glimlach heeft hij een frons. Eerlijk gezegd valt de kwaliteit van het papier ook tegen, maar het is duidelijk een brief van haar.

Albert loopt naar de stoel in de hoek, gaat zitten en maakt de envelop voorzichtig open.

Zodra hij de brief ziet, weet hij dat er iets helemaal mis is. Het papier staat vol slordige hanenpoten, alsof ze de brief heeft geschreven terwijl ze in een kermisattractie zat of tijdens een heftige aardbeving.

Ik heb iets te zeggen.
Verdomme! Ja, tegen JOU!

Albert stopt even, zijn hart klopt in zijn keel. Hij wil ophouden met lezen, maar het is al te laat.

Het is de bedoeling dat ik eerlijk opschrijf wat ik voel. Ja toch? Nou, op dit moment voel ik de behoefte dit papier in een pot met inkt te dopen om hem vervolgens door je keel te rammen! Vind je dat eerlijk genoeg?

Weet je wat ik denk? Als je deze brief echt leest, moet je wel een zielige klootzak zijn. Dan is je leven zo leeg dat je naar de problemen van een ander moet luisteren om je minder gefrustreerd te voelen over je eigen problemen. Zo is het toch? Je bent gewoon een zielige, eenzame hufter.

Je moest je schamen!
Ik schrijf je nooit meer!
Hoor je me?
NOOIT!

Langzaam legt Albert de brief neer en blijft doodstil zitten. Alles lijkt stiller nu, niet alleen dit vertrek, maar de hele wereld.

Hij wil opstaan, alleen maar om de brief in de prullenbak te gooien, maar dat kan hij niet. Hij is verdwaasd, gechoqueerd, alsof hij zojuist een oorlog heeft overleefd, maar dan niet zo alsof het ergste nu voorbij is en alles wel goed zal komen. Nee, hij heeft het gevoel dat hij de gruwelen van de loopgraven heeft overleefd en nu tot de ontdekking komt dat zijn huis is vernietigd, al zijn kinderen dood zijn en zijn vrouw kortgeleden met de slager is getrouwd.

'Wat bedoel je met "ziek"?' vraagt Darren. Hij lijkt bezorgd, waarschijnlijk meer om zichzelf dan om Albert. Hoe moet hij het uitleggen aan de bedrijfsleiding als Albert ter plekke dood neervalt?

'Ik wil gewoon vanmiddag vrij. Naar huis, even liggen.'

'O, ja natuurlijk. En maak je maar geen zorgen om ons, hoor! Wij redden het wel zonder je.' Dan lijkt het of hij spijt heeft van zijn woordkeus. 'Ik bedoel, we zullen je natuurlijk wel missen, maar neem zo lang vrij als nodig is.'

'Morgen ben ik wel weer in orde.'

'Nee echt, ik meen het! Neem zo lang vrij als nodig is.'

Frisse lucht helpt, de brief weggooien ook. Maar eenmaal buiten heeft Albert nog steeds het gevoel dat hij een steekwond heeft opgelopen waardoor hij moeizaam over straat sjokt. Niet dat hij voorovergebogen loopt van de pijn en er druipt ook geen bloed uit zijn lichaam, maar toch verwacht hij een bepaalde reactie van de voorbijgangers: een gil misschien, of een blik vol afgrijzen. Maar nee, zijn verdwaasde en gekwetste blik heeft in Zuid-Londen zijn natuurlijke leefomgeving gevonden.

Eigenlijk wil hij zodra hij thuis is die andere brief ook weggooien, maar hij weet nu al dat hij dat niet zal doen. Die brief is belangrijk voor hem geweest, ook al was het maar heel even, en daarom kan hij hem dus niet weggooien. Die brief betekent iets voor hem, het is een herinnering aan een bepaalde onschuld die hij is kwijtgeraakt. En zijn leven is immers een mausoleum voor dergelijke herinneringen.

Hij denkt nog steeds aan het verleden als hij uit de lift stapt en Max ziet, die zijn planten water geeft.

Als Max hem niet had gezien, zou hij stiekem weer naar beneden zijn gegaan en zou hij een paar uur in het park zijn gaan zitten, maar daar is het nu te laat voor.

'Waarom ben je nu al thuis?' roept Max.

Albert besluit dat een waardige stilte de beste reactie is, maar daar lijkt Max alleen maar agressiever van te worden.

'Kom op, Albert. Het is halverwege de middag. Of je bent ziek of je bent ontslagen.' Als Albert langs hem heen loopt, kijkt Max hem onderzoekend aan. 'Je ziet een beetje pips, maar je was altijd al een ziekelijk typetje. Een beetje een slappeling, eerlijk gezegd.'

Albert staat nu bij zijn voordeur en pakt zijn sleutels.

'Die kat van jou is toch niet weer gaan skydiven?'

Albert probeert zich voor te stellen hoe het zou klinken als Max vanaf de zesde verdieping op de stoep zou smakken. Dat is een troostrijke gedachte.

'Wat sta je te glimlachen, stomme klojo? Daarom ben je dus vroeg thuis, hè?'

Albert blijft hem negeren, stapt zijn appartement binnen en doet de voordeur dicht, maar Max' stem is nog duidelijk hoorbaar.

'Ha! Bij de post hebben ze dus eindelijk door dat je niet goed bij je hoofd bent!'

Zoals beloofd is Albert de volgende ochtend weer op zijn werk. Hij heeft niet goed geslapen, maar dat is eigenlijk de hele week al zo. Vannacht voelde zijn onrust in elk geval terecht, gerechtvaardigd zelfs.

Zonder het opgewonden verwachtingsvolle gevoel van de afgelopen dagen verloopt de ochtend veel prettiger. Hij voelt dat hij terugzakt in zijn cocon; geïsoleerd en alleen, maar veilig.

Een van de stagiaires komt binnen met een brief. 'Vandaag is er maar eentje,' roept hij, een beetje onduidelijk doordat hij een groot stuk kauwgum in zijn mond heeft.

Albert neemt niet eens de moeite ernaar te kijken en gooit hem gewoon in de richting van een van de zakken. Hij gooit natuurlijk mis; dat soort dingen heeft hij nooit goed gekund. Pas als hij hem op wil rapen, ziet hij de smiley op de envelop.

Even blijft hij ernaar kijken en hij twijfelt of hij eigenlijk wel wil weten wat erin staat.

Maar hij is wel van haar.

Voor hem.
Natuurlijk kan hij zich niet beheersen.
Hij raapt hem op en houdt hem vast, hij vraagt zich af wat erin zal staan, wat de bedoeling ervan is.
Hij is nog steeds zenuwachtig als hij hem openmaakt.
In de envelop zit één velletje papier, bijna onbeschreven.

Het spijt me heeeeel erg. Ik had een afschuwelijke dag. De volgende keer leg ik het wel uit.
xxx
C.

PS Misschien troost het je als ik zeg dat ik zo'n gruwelijke kater heb dat het lijkt alsof het een soort goddelijke wraak is.

23

Carol weet niet of iemand haar brief heeft gelezen, maar daar gaat het niet om. De wereld is ook al een rotplek om te wonen zonder dat totale onbekenden gemeen tegen elkaar zijn.

Ze wil het nog niet aan Helen vertellen, maar ze begint er lol in te krijgen, in dat schrijven van die brieven. Al worden ze gewoon in een hoekje van een stoffig pakhuis op een stapel gelegd, toch heeft ze het gevoel dat ze er iets mee bereikt. Haar levensangst heeft een plekje gevonden en dat geeft haar troost.

Zoveel troost zelfs dat ze nu in een kantoorboekhandel is, waar de schappen vol liggen met papier voor elke gelegenheid. Gekleurd papier voor chronisch vrolijke mensen, gelinieerd papier voor warrige mensen en heel dun luchtpostpapier dat zo licht is dat ze zich kan voorstellen dat het zelfs zonder de hulp van een vliegtuig kan wegvliegen.

Ze maakt een pakje open waar dik perkamentpapier in zit en strijkt met haar vinger over de vellen. Deze vellen hebben inhoud, in elke zin van het woord. Haar gedachten lijken te gewoon voor dit soort papier, maar toch vindt ze het zo mooi dat ze al gelukkig wordt door het alleen maar aan te raken.

Ze haalt een pakje met bijpassende enveloppen uit het schap en loopt voordat ze zich kan bedenken snel naar de kassa. Vanavond wil ze per se nog een brief schrijven en deze keer weet ze precies wat ze wil zeggen.

Bobs particuliere specialist is geweldig en heeft een indrukwekkende praktijk, maar uiteindelijk zal Bob toch een testikel kwijtraken.

'Eigenlijk kan ik het niet geloven,' zegt hij, alsof hij had verwacht dat alleen al het prijskaartje hem een wonderbaarlijke genezing zou bezorgen. 'Ze willen het... je weet wel, ze willen het eh... deze week doen.'

'En, wat vind jij daarvan?'

'Ik heb gevraagd of ze hem gewoon konden bekijken en dan weer terug konden stoppen.' Hij schudt zijn hoofd, kennelijk nog steeds ontmoedigd door het antwoord. 'Ik denk dat het het beste is om de koe maar bij de horens te vatten...'

Hij klinkt nog niet erg overtuigd, maar zijn pogingen om zich volwassen te gedragen zijn zo vertederend dat Carol toch wel een beetje trots op hem is.

Voordat ze zelfs maar begrijpt wat er gebeurt, heeft Bob haar hand al gepakt. Zijn gebaar heeft niets seksueels; hij drukt haar vingers niet tegen een erectie zoals hij vroeger weleens deed.

Ze blijven elkaar gewoon een tijdje glimlachend aankijken.

Sophie komt de kamer in met een bord eten en kijkt met een blik vol walging naar hen. Ze is er kennelijk van overtuigd dat dit het begin is van een niet tegen te houden voorspel. 'Let maar niet op mij, hoor!' zegt ze en ze draait zich meteen weer om.

'Je kunt wel binnenkomen!' roept Carol.

'Nee, het is al goed,' zegt Sophie die de kamer al uit is. 'Ik ga wel op mijn kamer tv-kijken.'

Bob kijkt naar de lege deuropening, alsof Sophie daar nog steeds staat. 'We hebben mazzel met dat kind,' zegt hij. 'Ik weet niet wat het is, maar we hebben in elk geval iets goed gedaan.'

Carol besluit dat dit niet het juiste moment is om Bobs dag te verpesten met zoiets onnozels als de waarheid. En op dit onverwacht tedere moment realiseert ze zich dat de leugen van hun huwelijk geen grenzen kent. Dat ze hier, zelfs zonder dat ze van elkaar houden of respect voor elkaar hebben, een toonbeeld van huiselijke harmonie zijn – net als al die andere gelukkige stellen op dit moment in Londen.

24

Ze heet Connie. Dat is een goede naam voor een jonge vrouw die in de problemen zit, een jonge vrouw die vroeger een beetje een slet was, maar een jonge vrouw met het hart op de juiste plaats.

Ze zou natuurlijk ook een Christine kunnen zijn, maar Albert hoopt van niet. Christine klinkt als een schalkse, manipulatieve jonge vrouw. Een eigenzinnige Christine zou niet op het goede pad gebracht kunnen worden. En ze kan geen Carol of Cynthia heten, want meisjes die Carol en Cynthia heten zijn te gewoon, te alledaags.

'Dat bedoel ik niet verkeerd,' zegt hij tegen Gloria. 'Er is een tijd geweest dat een keurige man niets anders wilde dan een gewoon, alledaags meisje. Een vrouw kon er echt naar verlangen om alledaags te zijn.'

Gloria knipoogt naar hem, en laat zoals gewoonlijk niet merken wat ze ervan vindt.

'Dergelijke meisjes zijn het enige wat er nog over is van een nette wereld. Een meisje dat Cynthia heet, zal nooit zo open zijn tegen iemand die ze niet kent.'

Ze heet dus vast en zeker Connie en haar brieven aan Albert zullen haar helpen rust te vinden, zodat ze elkaar uiteindelijk zullen ontmoeten. Hij zal waarschijnlijk een soort vaderfiguur voor haar worden, dat weet hij nu al. Geen echte vader natuurlijk. Hij kan haar natuurlijk geen pak slaag geven, al denkt hij dat dat best eens goed voor haar zou kunnen zijn. Hij zal op een kerkachtige manier een vader voor haar moeten zijn, maar dan zonder al dat 'hemel en hel'-gedoe.

De televisie flikkert zoals altijd 's avonds, maar nu staat het geluid uit. Albert wilde dat hij dat jaren geleden al had gedaan. Nu kan hij zichzelf in elk geval wijsmaken dat er intelligente en interessante dingen worden gezegd. Eigenlijk vindt hij het heel prettig om zo te zitten en zich af te vragen of hij iets belangrijks mist. Liever dit dan de teleurstelling die hij zal voelen als hij het geluid weer aanzet en tot de ontdekking komt dat dit niet het geval is.

Hij kijkt weer naar Gloria. Haar ogen flikkeren in het licht van een zeeppoederreclame.

'Ik moet gewoon sterk zijn, dat is het. Ik heb mezelf voor de gek gehouden vorige week. Mezelf, maar Connie ook.' Ze kijken samen naar een andere reclame: een vrouw in een witte laboratoriumjas schenkt bekers vol vloeistof over maandverband, hoewel het zonder geluid onduidelijk is wat hier de bedoeling van is. Hoe dan ook, de jonge vrouw die het reclamespotje afsluit, lijkt gelukkig.

'Wat een onzin. Zo zou ze echt niet naar de bus rennen, niet met die halve liter water in haar broekje! Dat is meer dan genoeg vocht om uitslag van te krijgen, zelfs op haar leeftijd!'

Om de een of andere reden denkt hij hierdoor weer aan Connie. 'Ze heeft een sterke man nodig. Dat is wel duidelijk volgens mij.' Hij kijkt of Gloria het met hem eens is, maar ze heeft haar ogen nu dicht. Ze vindt de televisie en zijn monoloog duidelijk erg saai.

Hij laat zijn stem dalen. 'Ik weet wel dat ik er niet de ideale man voor ben, maar alles is betrekkelijk. Ja toch? Ik bedoel, ik zou meer dan goed genoeg zijn voor een meisje als Connie. Vergeleken met de dingen die zij in haar leven heeft gedaan, ben ik een soort Clark Gable.'

25

Je hoeft niet bang te zijn hoor, ik ga je niet weer uitschelden of zo. De vorige keer was ik een beetje gek (of eigenlijk ladderzat). Sorry hoor! Ik was bij mijn ouders geweest. Als je mijn moeder kende, hoefde ik verder niets meer te zeggen. Die vrouw kan zelfs van een heilige een alcoholist en een gewelddadig iemand maken. Vroeger was mijn vader nog een stabiliserende factor – en dat is eigenlijk nogal ironisch omdat hij alcoholist was – maar nu is hij verlamd en daarom is alles dus één grote kloteboel (dit is hier echt het juiste woord voor, vind ik).

Ik zeg altijd tegen mezelf dat het prima is dat ik haar gewoon ontwijk, maar dan begin ik me schuldig te voelen en denk ik dat het de volgende keer vast stukken beter gaat. Beroemde laatste woorden...

Het helpt ook niet echt dat ik het gevoel heb dat het mijn schuld is dat mijn moeder het karakter van een giftige afvalberg heeft en dat mijn vader nu vegeterend in een rolstoel zit. Met al die schuldgevoelens is het een wonder dat ik die avond alleen maar een wodkafles heb gepakt – hoewel dat waarschijnlijk meer zegt over de supermarkt bij mij in de buurt dan over mij. Ik bedoel, als ik bijvoorbeeld heroïne en methadon had gekocht, was die avond heel anders verlopen. (Je kunt je wel voorstellen dat het geweldig voelt als je dat op je achtendertigste kunt zeggen. Ik heb zo'n succes van mijn leven gemaakt!)

Weet je, ik vind dat ik je een naam moet geven. Ik bedoel, ik heb de moeite genomen om mooi papier te kopen (ik hoop dat je onder de indruk bent) en daarom zou het jammer zijn als ik mijn brieven niet aan een bepaalde persoon zou richten.

Dit voelt weer een beetje alsof ik opnieuw moeder word en een naam moet uitkiezen waarmee je kind de rest van zijn leven niet wordt gepest of gehaat. Mijn eigen ouders hebben wat dat betreft niet echt een goede keus gemaakt, eerlijk gezegd. Ik bedoel, ze hebben mij (en ik weet wel dat ik geen namen zou moeten noemen, maar ach, wat maakt het uit, gevaren trotseren is immers de bedoeling van deze brieven, toch?) – oké, tromgeroffel alsjeblieft – zij hebben me Carol genoemd! Ik bedoel maar, Carol! Als dat geen irritant liedje is dat steeds weer opnieuw wordt afgespeeld dan, ja weet ik veel, dan klinkt het als een merk toiletpapier, vind ik. Of naar iets wat je in zo'n gezondheidswinkel kunt kopen: 'Neem tussen de maaltijden door gewoon een eetlepel Carol, dan worden uw darmen lekker doorgespoeld!'

Maar goed, even weer over jou. Ik vind dat je een degelijke naam moet hebben, Edward of zo, of Charles. Hoewel ik dat eigenlijk geen mooie namen vind, sorry! Robert is natuurlijk een vrij degelijke naam, maar om persoonlijke redenen gaan we die dus niet gebruiken. Ik vind Toby wel mooi. Of Harry. Maar voordat je gaat denken dat ik alleen namen die op een y eindigen mooi vind, moet je weten dat ik Jimmy een afschuwelijke naam vind. Die naam doet me denken aan een goedkoop merk ovenreiniger, je weet wel, van dat spul dat niet eens werkt. Hoe dan ook, al die y-namen zijn een beetje te intiem voor ons doel, vind je ook niet? Toby en Harry zijn waarschijnlijk wel aardig om een keer iets mee te gaan drinken, maar ik zou hun toch niet mijn diepste geheimen toevertrouwen. Ik ben niet rooms-katholiek, maar ik zou niet gauw gaan biechten bij iemand die Harry heet. Ach, misschien ligt het gewoon aan mij.

Ik ga je Richard noemen. Ik wil dit aan Richard schrijven, hoewel ik heus wel weet dat je niet echt Richard heet.

Die naam. Carol houdt op met schrijven, het hart klopt haar in de keel.

Het is stil in huis, Bob en Sophie liggen allebei te slapen. En zij zit hier een brief te schrijven die niemand ooit zal lezen.

'Het is maar beter ook als niemand dit ooit leest,' mompelt ze zacht. De dingen die ze vannacht wil zeggen... Het zal voldoende zijn om ze gewoon op te schrijven, zodat ze ze eindelijk kan accepteren en ze dan kan laten rusten.

Het lijkt heel gepast om dit te doen terwijl Bob en Sophie slapen. Dat geeft het een bepaalde puurheid: zij zijn wel in dit huis, maar toch ver weg. Alsof dit ene ogenblik de waarheid van hun leven duidelijk zichtbaar maakt.

Lieve Richard,

Ik heb de pest aan Sophie. En dat is jouw schuld, vind ik. Nee, dat is niet waar. Ik geef mezelf de schuld van het feit dat ik van jou houd. Maar ik geef jou de schuld van het feit dat het zo gemakkelijk is om van je te houden.

Het is niet zo dat ik Sophie haat. Ik bedoel, dat zou wel heel erg zijn, toch? Daar wacht ik wel mee tot ze wat ouder is.

Grapje! Ik denk dat ouders hun kinderen niet mogen haten. Om de een of andere reden denk ik dat we daar het recht niet toe hebben (en toch durf ik te bekennen dat ik haar helemaal niet aardig vind. Ach, dat komt misschien wel op hetzelfde neer, of niet?)

Ik denk dat ik haar niet aardig vind omdat ik bepaalde beslissingen heb genomen. De dingen die ik heb gedaan en niet heb gedaan, vanwege het moederschap. Ik weet wel dat ik haar er niet de schuld van mag geven dat ik met Bob ben getrouwd, maar het is moeilijk dat niet te doen, omdat zij toch echt de reden is geweest dát ik dat heb gedaan.

Een verzachtende omstandigheid is dat ik wilde geloven dat ik van hem hield. Niet dat ik toen ook maar iets begreep van de liefde. Ik bedoel, het is heel eenvoudig om van iemand te gaan houden als je enige definitie van intimiteit is dat de man een tijdje wakker blijft nadat hij is klaargekomen. Achteraf gezien denk ik dat ik niet echt van hem ben gaan houden, maar gewoon ben gestopt met hopen.

Bob is geen slechte man. Dat is hij niet. Misschien is hij wel perfect voor iemand. (Ik betwijfel of ik ooit zo'n soort vrouw zou willen leren kennen, maar ik wens haar het allerbeste.) En weet je? Ik denk ook dat ze samen heel gelukkig kunnen worden. Echt gelukkig, veel gelukkiger dan in deze nepversie van geluk die ik hem heb gegeven. Hij denkt dat het echt is, maar daardoor is het nog niet goed. Toch?

En al die jaren heb ik geprobeerd mezelf wijs te maken dat het bewonderenswaardig van me was dat ik bij hem bleef omwille van zijn kind. En nu... nu is het enige wat ik zeker weet dat ik niet de kans heb het ooit nog een keer te doen. Zelfs wanneer ik hem verlaat ('wanneer' hè, niet 'als'!), krijg ik daar al die jaren niet mee terug.

'Carol?' Bob loopt de kamer in, in zijn pyjama, hij knijpt zijn ogen halfdicht tegen het felle licht, zijn haar zit in de war. 'Wat ben je aan het doen?'

Carol schrikt en knipt snel het licht uit, zodat het opeens pikdonker is in de kamer.

'Verd...'

'Je moet niet in het felle licht komen. Dan val je nooit meer in slaap.'

'Maar nu kan ik je helemaal niet zien.'

'Dat hoeft ook niet.'

Bob kreunt en vraagt met een slaperige stem: 'Waarom ben je opgestaan?'

'Ik ben een brief aan het schrijven.'

'Maar dat doe je anders nooit. Dat doet niemand meer tegenwoordig.'

'Aan een oude vriendin. Van kantoor.'

‘Kun je geen e-mail sturen?’

‘Nee, ze eh... woont nu op een boerderij. In Australië. Een schapenboerderij. Ze hebben alleen een radio.’ Ze probeert nog iets te verzinnen. ‘Ik heb net gehoord dat ze zwanger is.’

‘Hè? Om drie uur ’s nachts?’

‘Nee, ik bedoel, dat hoorde ik vandaag... gisteren. En ik kon niet slapen. Heb ik je wakker gemaakt?’

‘Doordat je beneden stilletjes een brief zat te schrijven, bedoel je? Nee...’ – hij gaapt – ‘... maar het bed voelde gewoon leeg zonder jou.’

‘Ga maar weer slapen. Ik kom er zo aan.’

‘Kom nu maar mee.’

‘Dat heeft geen zin. Ik kan niet slapen.’

‘Maar als je in het donker zit, kun je geen brief schrijven.’

‘Ik doe het licht zo weer aan.’

‘Dan is het geen wonder dat je niet kunt slapen.’

Omdat ze denkt dat een knuffel misschien werkt, wil ze naar hem toe lopen, maar ziet de eettafelstoel niet staan. ‘Verdomme!’ schreeuwt ze als ze er met haar scheenbeen tegenaan stoot.

‘Wat gebeurde er?’

‘Het gaat wel.’ Haar been begint te kloppen. ‘Niets aan de hand.’

Ze horen een geluid boven. Sophie, die zich omdraait in haar slaap.

Als het weer stil is, steekt Carol in het donker haar hand uit en legt hem om Bobs middel. ‘Ga maar gewoon weer naar boven, oké? Ik kom zo.’

‘Echt?’

‘Natuurlijk.’ Ze drukt een kus op zijn voorhoofd, waarbij zijn verwarde haren haar neus kietelen.

Ze luistert als hij weg schuifelt. Het geluid wordt steeds zachter tot ze de houten vloer boven zacht hoort kraken.

Ze knipt het licht weer aan, maar nu lijkt het te fel, te verblindend voor dit tijdstip. Ze schermt haar ogen af en gaat verder met haar brief.

Wat wil ik nu eigenlijk zeggen? Zelfs ik weet het even niet meer. Dat gebeurt er nou als een vrouw niet genoeg vrienden heeft. Ik heb Helen natuurlijk; ze is heel aardig, maar ze is ook erg veranderd sinds jij in mijn leven bent. Het lijkt wel alsof haar scheiding en het alleenstaande moederschap haar te kwetsbaar hebben gemaakt voor het leven van alledag. Ze is nog altijd mijn beste vriendin, maar ik heb een yin nodig als compensatie voor haar yang, begrijp je? En ik zou graag een vriend hebben die lekkerdere thee in huis heeft.

Hoe dan ook, voordat ik gek word en kwijlend over straat ga lopen, wil ik dit zeggen: ik neem de verantwoordelijkheid voor de besluiten die ik heb genomen, zelfs voor de heel erg verkeerde besluiten. Het is mijn besluit geweest om bij Bob te blijven. En het is mijn besluit geweest om meer aan Sophies behoeften te denken dan aan die van mezelf. Misschien heb ik dat gebruikt als een excuus om de dingen te doen die ik eng vind, weet ik veel. En het maakt ook niet meer uit, toch?

Ik heb altijd gedacht dat ik heel integer was; dat ik door bij Bob te blijven investeerde in mijn toekomstige relatie met Sophie. Inmiddels weet ik dat het ouderschap niet zo werkt. Het enige wat je een kind kunt geven is geluk; de rest is gewoon versiering. En als je zelf niet gelukkig bent, kun je je kind ook geen geluk geven.

Het was dus eigenlijk een beetje een puinhoop, ja toch? Ik was beter af geweest als ik Bob had gedumpt en bij jou was ingetrokken. Maar dat is iets wat ik pas achteraf inzie, vijftien jaar te laat. En nu ben je weg en is het te laat.

Ik zou heel graag willen weten wat jij van Sophie vindt. Ik denk dat ik de enige ben die zou willen dat ze anders was. Ik bedoel, ze is slim en ze is aardig, behalve tegen mij. Ik zou gewoon willen dat ze een beetje 'jonger' was. Dat ze even ophield veel te veel haar best te doen en een beetje plezier ging maken. Ik heb het afschuwelijke gevoel dat ze, als ze nu geen gekke tienerdingen doet, dat later in haar leven zal gaan doen. Ik wil niet dat ze als ze een jaar of vijfendertig is probeert uit te zoeken wat er allemaal is misgegaan. Dan zou alles pas echt tevergeefs zijn geweest.

Tijd om te gaan slapen.

xxx
Carol

Carol kijkt naar de brief, haar eerste echte contact met Richard sinds jaren. Als ze wist hoe ze hem kon bereiken, dan zou ze hem meteen versturen, dan zou ze zo nodig direct naar buiten gaan, de duisternis in.

Ze weet niet waar hij is, maar alleen al doordat ze hem een brief schrijft zijn de herinneringen duidelijker geworden, voelt hij weer dichtbij.

Ze vraagt zich af of dit de kracht van het geloof is: dat iets onwerkelijk kan zijn, gek en onverstandig, maar dat alles heel even toch mogelijk lijkt.

Daarom pakt ze haar pen weer.

PS Ik weet wel dat je dit nooit zult lezen, Richard, maar als dat toch zo is, neem dan alsjeblieft contact met me op.

Ze denkt nog even na over deze woorden en droomt ervan dat hij ze misschien toch ooit zal lezen.

Dat ze zijn stem weer hoort. Zijn gezicht kan aanraken. Een tweede kans krijgt.

Met die gedachten drukt ze een kus op het papier. Dan stopt ze de brief in de envelop die ze vervolgens dichtplakt.

26

Het bezoek aan de dokter kost hem niets, maar toch ziet Albert er het nut niet van in. Hij begint oud te worden. Zijn lichaam begint te slijten. Dat hoeft een dokter hem echt niet te vertellen. Ook kan het hem niets schelen hoe hoog zijn cholesterolgehalte is, of zijn bloeddruk. Hij heeft het al vijfenzestig jaar zonder dit soort dingen gered, dus waarom zou hij daar nu mee beginnen?

'Ik neem even wat bloed af,' zegt de dokter. 'Misschien voelt u even een prikje, maar meer is het niet.'

Hij steekt de naald in Alberts arm met de omzichtigheid van iemand die aan Gilles de la Tourette lijdt.

'Au!'

'Sorry. Ik ben hier nooit goed in geweest.' Hij maakt een plastic buisje aan de naald vast en kijkt ernaar terwijl het buisje volstroomt met bloed.

'Moet ik die helemaal vol maken?' vraagt Albert. Dat lijkt wel heel veel bloed voor een simpel bloedonderzoek.

'Ach, waarom niet? Als je iets doet, moet je het goed doen.'

'Ik vraag me af of ik wel zoveel kan missen.'

'Nou, als u duizelig wordt en bewusteloos raakt, dan kunt u dat inderdaad niet.' De dokter glimlacht om zijn eigen grapje. 'Maar ik kan u beloven dat het wel goed komt.' Hij tikt tegen het buisje. 'Wilt u even een vuist maken? Zo... Ja, dat is goed... En dan even pompen, zo...'

Albert ziet dat het bloed in het buisje stroomt, met ritmische golfjes.

'Normaal gesproken doet een assistente dit,' zegt de dokter, 'maar die zit ziek thuis.'

Albert weet niet goed wat hij hierop moet zeggen. 'Heelmeester, genees uzelf,' schiet hem te binnen, maar dat heeft de dokter waarschijnlijk al tientallen keren gehoord. Hij besluit iets opbeurends te zeggen. 'Er gaat een lelijke verkoudheid rond,' zegt hij. 'Een paar mensen bij mij op het werk hebben dat gehad.'

'O, ze is niet verkouden hoor. Ze heeft syfilis.' Voor het eerst vanochtend lijkt hij oprecht blij. 'Ik had nog nooit eerder iemand met syfilis gezien, dus dat was heel prettig.'

Kennelijk tevreden over het bloedmonster trekt hij de naald uit Alberts arm en rommelt wat, terwijl Albert nog even doorbloedt. 'Kijk eens aan,' zegt hij en hij smeert wat ontsmettingsmiddel op Alberts arm. 'Dit prikt misschien even.'

'Een beetje maar,' zegt Albert, met zijn kiezen op elkaar geklemd.

De dokter geeft hem een watje. 'Hou dit maar even vijf of tien minuten op uw arm gedrukt, dan is het bloeden wel gestopt.' Hij gaat weer achter zijn bureau zitten en lijkt opgelucht nu hij niet meer zo dicht bij Albert zit.

'En,' vraagt hij, 'gaat u binnenkort met pensioen?'

'Deze maand.'

'En bent u zich ervan bewust dat het sterftecijfer voor mannen van uw leeftijd in de eerste twee jaar na pensionering steil oploopt?' Hij zegt het met een hoopvolle klank in zijn stem, alsof een vroege dood een van de weinige dingen is die zijn werk interessant maakt. 'We zien heel veel kanker, hersenbloedingen, hartaanvallen, dat soort dingen.'

'Volgens mij ben ik redelijk goed in vorm.' Albert wacht tot de dokter zijn instemming betuigt, maar die heeft het te druk met het bekijken van zijn aantekeningen.

'Ik maak me een beetje zorgen om uw longen,' zegt hij. 'Rookt u?'

'Nee.'

'Hebt u ooit tbc gehad?'

'Nee. Is er iets mis?'

'Niet echt. Ik bedoel, volgens de röntgenfoto niet en dat is maar goed ook, want daarop zie je eigenlijk alleen maar dingen waar je echt aan doodgaat,' zegt hij met ongegeneerd plezier. 'Maar in uw geval lijkt alles in orde. Het is maar goed dat ik de stethoscoop heb gebruikt, want uw longen klinken... – hoe zal ik het zeggen – ... niet zo goed. Ik adviseer u er voorzichtig mee te zijn, ze af en toe wat rust te geven.'

'Mijn longen?'

'Ja.'

Albert vraagt zich af hoe hij dat zou moeten doen. Misschien moet hij ze af en toe even uit zijn lichaam halen, ze even wassen. Ze hebben al vastgesteld dat hij niet rookt, dus vindt hij het moeilijk om te bedenken wat hij kan doen behalve minder vaak ademhalen.

'Ik moet nog één test doen.' De dokter trekt een paar latex handschoenen aan en brengt voorzichtig een beetje glijmiddel aan op de top van zijn wijsvinger. 'Wanneer was de laatste keer dat u uw prostaat hebt laten onderzoeken?'

'Dat hangt ervan af,' zegt Albert, een beetje in paniek nu. 'Waar zit ie?'

Omdat dit Alberts eerste geneeskundige onderzoek was in vijftig jaar, troost hij zich met de gedachte dat dit ook wel de laatste keer zal zijn geweest. Hij kan de rest van zijn leven gerust zijn, niemand zal ooit nog eens doen wat er zojuist is gedaan.

Hij wordt weer bleek als hij eraan denkt dat hij twintig minuten geleden werd onderzocht terwijl hij over het bureau hing. Hij heeft weleens gehoord dat er mensen zijn die dat soort dingen doen omdat ze het lekker vinden – en nog veel meer ook, als je die tijdschriften mag geloven – maar hij had nooit gedacht dat zoiets ook onder het mom van gezondheidszorg gebeurde. De gezondheidszorg zal straks wel woestijnratjes gebruiken, en latex speeltjes.

Hij wil weer naar zijn werk om te kijken of er een nieuwe brief van Connie is, maar zoals gebruikelijk heeft Darren gezegd dat hij de rest van de dag maar vrij moet nemen.

Nu een andere man hem zojuist heeft gevingerd, vindt hij dat hij eigenlijk naar een kerk zou moeten gaan en daar een tijdje moet gaan zitten. Maar omdat hij er bepaald niet van heeft genoten, is een lang warm bad waarschijnlijk wel voldoende.

Albert staat nog in de lift, maar toch voelt hij gewoon dat Max buiten zijn planten aan het verzorgen is. Als een kanarie in een kolenmijn merkt hij dat Max' persoonlijkheid de lucht vult, als een wolk giftige gassen.

En ja hoor, als de liftdeuren opengaan, ziet Albert hem staan. En deze keer is hij niet alleen, maar samen met zijn vrouw.

De vrouw van Max doet denken aan Kim Jong-il, in die zin dat ze bijna nooit in het openbaar wordt gezien en als dat wel het geval is, dan is het altijd met een walgelijke manier van doen en een slechte permanent.

Vandaag staat ze roerloos voor haar voordeur, zodat het vanaf een afstand lijkt alsof ze dood is. Een verstijfd lijk dat zich in de winter koestert in de stralen van de middagzon.

'Hé parttimer!' roept Max als hij Albert ziet. 'Werk je eigenlijk nog wel?'

Albert wil zeggen dat hij een medisch onderzoek heeft ondergaan, maar Max heeft een ongelooflijk goed ontwikkeld deductievermogen. Hij kan er dus maar beter niet over beginnen. 'Ik moest wat persoonlijke zaken regelen.'

'O, ik snap het,' zegt Max, met een bekakte stem. 'Niet die van de koningin deze keer, maar je eigen.'

Albert denkt dat Max' vrouw misschien graag wil weten dat andere mensen de pest hebben aan haar man en kijkt haar met een meelevende glimlach aan.

'Waar sta jij naar te kijken!' snauwt ze, met een zwakke, ademloze stem.

Het is wel duidelijk dat ze haar hals niet gemakkelijk kan bewegen, maar ze volgt hem met heel grote pupillen als hij langs haar heen loopt. Dan is Albert buiten bereik. Tegen de tijd dat ze haar hoofd opzij heeft gedraaid, maakt hij zijn voordeur al open.

Ze opent haar mond om iets te zeggen, maar er komt geen geluid uit. Ze probeert het nog een keer. 'Verdomde stomkop!' snuift ze uiteindelijk.

'Ja, dat mag hij best weten!' zegt Max. Hij draait zich om naar Albert en verheft zijn stem. 'Als ik kleinkinderen had, zou ik ze bij je uit de buurt houden!'

'Maar ik hou van kinderen,' zegt Albert, echt gekwetst.

'Zie je wel?' zegt Max tegen zijn vrouw. 'Die man is pervers!'

De rest van de avond gaat alles zijn gewone gangetje: de tv staat aan, zonder geluid, zodat het niet donker is in de kamer, en af en toe kletst hij even met Gloria. Maar in de loop van de avond denkt Albert weer aan de opmerking van de dokter dat hij zwakke longen heeft.

'Zo'n onzin heb ik nog nooit gehoord,' zegt hij. Maar alleen al door dit te zeggen, klinkt die prognose nog bedreigender.

Hij schraapt zijn keel en vraagt zich af of hij nu al begint te hoesten. 'Iedereen zou denken dat ik gek word.'

En zodra hij dit heeft gezegd, begint hij zich af te vragen of dat misschien ook zo is.

27

Carol heeft er geen spijt van dat ze 'de grote onbekende' heeft geschreven hoe ze heet. Dat was een optimistische handeling, een soort onverwachte gekte waardoor ze meer het gevoel had dat ze leeft. Het ergste wat er kan gebeuren, is dat ze wordt ontdekt door een verwarde en beschaamde postbode, en dan kan ze alles natuurlijk gewoon ontkennen. Dat betekent in elk geval dat iemand haar brieven leest.

De eerste paar dagen voelt ze zich wel prettig, maar dan ebben de hoop en de angst weg. Hoe meer ze erover nadenkt, hoe meer ze het idee heeft dat brieven schrijven eigenlijk een religie is: een nutteloze handeling die alleen maar troost biedt zolang je maar net blijft doen alsof.

Gelukkig vult Bobs verkankerde zaadbal de leegte. Ze weten nu dat de operatie aan het einde van de week zal plaatsvinden. En daarom moet Carol alweer de zorgzame echtgenote spelen.

Als ze de parkeerplaats van het ziekenhuis oprijdt, hangt er een discrete, rustige sfeer die volstrekt in tegenspraak is met wat er binnen gebeurt. Binnen deze muren vechten mannen en vrouwen tegen hun ziekte, worden ze opengesneden, gaan ze misschien zelfs dood, maar als je naar de buitenkant kijkt, zou het net zo goed een hotel kunnen zijn. Ze blijft nog even in de auto zitten en realiseert zich dat ze het helemaal niet gek zou vinden als er zo meteen iemand met een piña colada en een luchtbed naar buiten zou komen.

Zelfs nadat ze naar binnen is gegaan, blijft ze het onwerkelijk vinden. Ze is nog niet eens bij de receptie als er een verpleegkundige aankomt. Haar gedrag doet eerder denken aan een receptioniste of weldoorvoede slaaf. 'Mevrouw Cooper?' vraagt ze, met een warme glimlach.

Carol vraagt zich af hoe ze dat kan zien. Is Bob vandaag de enige patiënt of ziet Carol eruit als de soort vrouw die getrouwd zou kunnen zijn met een man als hij?

'Het gaat goed hoor, met uw man,' zegt de verpleegkundige. 'Alles is prima verlopen...'

Ze hebben een bal verwijderd, denkt Carol. Hij had het zelf kunnen doen met een stanleymes en een pleister.

'... hij is natuurlijk onder narcose geweest voor de operatie,' vertelt de verpleegkundige, 'maar hij begint al weer bij te komen.'

Ze loopt voor Carol uit door de stille, verlaten gangen.

'Waar is iedereen?' vraagt Carol.

'We willen graag dat hier een bijzonder rustige sfeer hangt.'

Carol besluit dat dit een beleefde manier is om te zeggen dat alle andere patiënten tijdens mislukte operaties zijn overleden. Misschien is de verpleegkundige daarom wel zo blij dat Bob het heeft overleefd. Ze kan zich zo voorstellen dat de verpleegkundige zou zeggen: 'Normaal gesproken sterven ze als vliegen, maar gelukkig staan er bloemen in alle voor het publiek toegankelijke ruimtes.'

De verpleegkundige blijft staan. 'Hij zal nog wel een beetje slaperig zijn, maar behalve dat is hij weer helemaal de oude.'

Zachtjes opent ze een deur en gebaart dat Carol naar binnen moet gaan. Daarna doet ze de deur zo zachtjes dicht dat Carol niet eens in de gaten heeft dat ze verdwenen is.

Bob ligt vredig te slapen. Hij lijkt kleiner dan eerst, alsof hij meer kwijt is dan een van zijn ballen. Carol vindt het ironisch dat ze meer op hem gesteld is nu er minder van hem is.

Ze gaat naast hem zitten en dan doet hij zijn ogen open.

'Hé slaapkop.'

'O, hallo. Ben je hier al lang?'

'Ik ben er net.' Ze vraagt zich af wat ze moet zeggen. 'Zal ik je pijpen?'

'Ja, dat bied je nú aan!'

'En het aanbod is alleen vandaag geldig, ben ik bang.'

'Ik kan niet eens aan mijn ballen dénken zonder dat ze pijn doen. Eh... dat hij pijn doet, bedoel ik.'

'Nee dus.'

'Je kunt wel iets te drinken bestellen, als je wilt. Ze hebben een wijnlijst, dat geloof je toch niet!'

'Geen wonder dat je moe bent. Dat zou het officiële verhaal kunnen zijn: je bent deze chique tent binnengelopen omdat je dacht dat het een bar was. Even later word je wakker en lig je met één bal minder in een bed.'

Bob glimlacht niet. 'Je gelooft het misschien niet, Carol, maar ik was niet van plan dit aan iedereen te vertellen. Heb je het aan Helen verteld?'

Ze aarzelt. 'Alleen dat je je niet goed voelt.'

Bob lijkt niet overtuigd.

'We hebben het over Helen hoor, de overspannen moeder van Jane. Zij heeft al meer dan genoeg aan haar eigen problemen.' Carol zegt het vol overtuiging, alsof ze zeker weet dat ook eventuele voorbijgangers en zelfs mensen die blind geboren zijn kunnen zien dat Helen een vrouw is die door het leven wordt gekweld.

Bob is het kennelijk met haar eens. 'Sorry,' zegt hij. 'Je zult me wel een echte lul vinden.'

'Geeft niet, hoor,' zegt ze, met een ontwapenende glimlach. 'Ik ben er inmiddels wel aan gewend.'

Zelfs als het heel erg meezit, hangt er een gespannen sfeer in Carols huis. Vanavond, nu Bob niet thuis is, voelt het zelfs nog erger. Alsof Sophie het huis van struikeldraden en kleefmijnen heeft voorzien.

'Ik weet niet eens waar ze is,' zegt Carol. Ze heeft Helen aan de telefoon. 'Ze denkt dat Bob voor zaken op stap is. Als ik haar was, zou ik de hele nacht wegblijven.'

'En dan met een willekeurige vent naar bed gaan.'

'Helen!'

'Maar dat is toch zo? Jij was ook niet bepaald een heilige toen je zo oud was als zij. Je mag je gelukkig prijzen dat zij altijd zo verstandig is.'

'Ze is gewoon griezelig verstandig!'

'Carol, je tienerdochter zit doordeweeks thuis te leren...'

'Ik heb helemaal niet gezegd dat ze zit te leren. Ik zei alleen maar dat ze stil was. Toen ik zo oud was, zou dat betekend hebben dat ik dood was, maar met Sophie... Heeft het iets met haar intelligentie te maken, denk je, deze behoefte aan stilte?'

'Volgens mij is dat niet verkeerd.'

'Echt niet? Kun je niet in stilte satanisme bedrijven? Of misschien zit ze wel voor haar webcam en laat ze haar tieten aan een of andere vent in België zien.'

'Je kunt toch gewoon naar boven gaan en even bij haar kijken? Misschien breekt dat het ijs wel.'

'Helen, als het ijs breekt, val je in het water. En zelfs als je dan niet verdrinkt, ga je dood aan longontsteking.'

'Dat is niet bepaald een optimistische kijk op het moederschap.'

'Nou en? Wil je me een paar tips geven of zo? Ontken het maar niet, een van de redenen dat we zulke goede vriendinnen zijn is omdat we daar allebei bar slecht in zijn!' Het is lang stil aan de andere kant van de lijn. 'Sorry, dat kwam er verkeerd uit.'

'Hoe had je het dan willen zeggen? Was het een grapje of zo? "Helen, je bent een vreselijk slechte moeder en je dochter haat je."'

'Dat zei ik niet.'

'Maar het is wel zo, hè? Ze haat me.'

Carol wil een troostende opmerking maken, zeggen dat het na een tijdje wel beter zal gaan, maar ze weet dat dat waarschijnlijk niet zo is.

'Je klinkt in elk geval vrolijker,' zegt Helen. 'Heb je al een brief geschreven, zoals ik je had aangeraden?'

'Nee.' Carol hoort zelf dat haar stem verdedigend, schuldig klinkt, maar Helen schijnt het niet te merken.

'Toch klink je heel anders. Dat hoor ik gewoon!'

'Misschien begin ik wel te geloven dat het einde met Bob in zicht is.'

'Je denkt dus dat het voorbij is?'

'Dacht je soms dat een bal minder verschil zou maken in een relatie?'

'Je weet wel wat ik bedoel.'

'Nou, hij komt morgen thuis. Tegen die tijd zullen we wel weten hoe het zit met die tumor.'

'En als het er niet goed uitziet?'

'Vroeg de eeuwige optimist.'

'Ik ben gewoon realistisch. Ik neem aan dat de meeste artsen niet voor de lol een bal verwijderen.'

Carol aarzelt even voordat ze antwoord geeft. Ze ziet zichzelf al in een vliegtuig naar Athene zitten. Ze voelt al hoe het vliegtuig op de startbaan versnelt, dat het loskomt van de grond en haar door de wolken heen naar een plaats brengt waar de zon altijd schijnt. 'Nee,' zegt ze, 'dan gaat het prima met hem.'

28

De dag na zijn medisch onderzoek is Albert weer aan het werk, en net op tijd om Carols brief in ontvangst te nemen.

De brief arriveert kort na Albert in het sorteercentrum en de inhoud wacht tot hij Alberts dag kan opvrolijken. Niet alleen met woorden, maar ook met een naam en een telefoonnummer.

Albert is zich die ochtend totaal niet bewust van zijn omgeving; hij weet absoluut niet dat de brief de gebruikelijke route door het systeem doorloopt, waarna hij onvermijdelijk op zijn bureau zal belanden.

Pas als Darren het vertrek binnenkomt, wordt deze dag een bijzondere dag.

'We gaan opschoning houden,' zegt Darren. 'Het wordt tijd om alles wat oud is weg te doen.'

Albert kijkt hem paniekerig aan en zelfs Darren lijkt zijn woorden te heroverwegen. 'De oude brieven, bedoel ik.' Hij wijst naar vijf zakken die tegen de achtermuur staan. 'Heb je deze allemaal al gecontroleerd? Kunnen ze weg?'

'Ja, die mogen allemaal worden gedumpt.'

'Albert, het is niet onze gewoonte om post te "dumpen". We verwijderen de post. Op een ethische, milieuvriendelijke en fiscaal verantwoordelijke manier.'

'Wat houdt dat precies in?'

'We verkopen alles aan een recyclingbedrijf. Daar maken ze er pulp van en daarna, weet ik veel, wc-papier en bierviltjes en zo.' Hij kijkt op als twee stagiaires de zakken het vertrek uit slepen. 'Goed zo, jongens, hup-hup.' Even lijkt hij opgewonden, als een keizer met talloze volgelingen.

'En wat word ik geacht te doen?' vraagt Albert.

'Wat je altijd doet, Albert. Gewoon... gewoon doorgaan met je goede werk.'

Hij draait zich om en loopt achter de stagiaires aan het vertrek uit, terwijl het stof achter hen opdwarrelt.

'"Doen wat je altijd doet",' zegt Albert. 'Nou, in dat geval ga ik even een kop thee halen.'

Tijdens zijn afwezigheid arriveert de nieuwe post van die dag, met daartussen de crèmekleurige envelop met Carols brief erin.

Helaas valt de envelop op de grond en nu Albert er niet is, neemt een van de stagiaires het heft in handen. 'Stop die hier ook maar in,' zegt hij en hij houdt een van de zakken open. 'Dit gaat allemaal weg.'

Als Albert nu terug zou komen, zou hij de brief nog kunnen zien doordat de smiley tussen de brieven uitsteekt.

Maar nu hij er niet is, bindt de jongen de zak dicht en draagt hem naar buiten, waardoor hij Carols brief van de aardbodem laat verdwijnen, terwijl Albert onbekommerd wacht tot zijn thee is getrokken.

29

Bob uit het ziekenhuis halen en mee naar huis nemen is slechts de warming-up. Het hoogtepunt van de dag, goed of slecht, wordt het telefoontje van de specialist die later die middag zal bellen. Ergens in een laboratorium wordt Bobs verwijderde bal als een serranoham in plakjes gesneden en zal dan zijn geheimen onthullen. Binnenkort zullen ze allemaal de waarheid kennen.

Bob probeert net te doen alsof hij het wachten niet erg vindt. 'Zullen we vanavond naar de pub gaan? Heb je daar ook zin in?'

'Volgens mij kunnen we beter gewoon thuisblijven, Bob.'

'Maar dan kunnen we het vieren!' Hij zegt dit met een wanhopige klank in zijn stem en met een angstige blik in zijn ogen.

Daardoor voelt Carol zich gedwongen zijn spelletje mee te spelen. 'Ach, waarom ook niet?' zegt ze. 'Misschien is het wel leuk om weer eens een avond naar de pub te gaan.'

'Zullen we Tony en Mandy ook uitnodigen, wat vind jij?'

'Natuurlijk, hoe meer zielen hoe meer vreugd.'

Bob besluit hen op te bellen en wacht met trillende handen tot er iemand opneemt. 'Tony!' brult hij alsof hij in een toneelstuk meespeelt. 'Ja, uitstekend, makker, uitstekend. Luister, wij willen vanavond naar de pub...' Carol ziet dat zelfs zijn lichaamstaal is veranderd; hij lijkt wel een kind dat te veel kwast heeft gedronken en nu opgefokt is en met grote ogen de wereld in kijkt. 'Ongelooflijk! Wauw, dat is een geweldig aanbod! Ja, wij komen ook graag!'

Een geweldig aanbod! De moed zakt Carol in de schoenen. Bij dit soort mensen kan dat nooit iets goed betekenen.

'Ja hoor, we zijn er om een uur of zeven. Super!' Hij hangt op en wordt zichtbaar kleiner nu al zijn angsten en zorgen hem weer bespringen. 'Ze vroegen of we langskwamen,' zegt hij. Hij loopt naar de bank en laat zich in de kussens zakken. 'Tony had zin om te barbecueën. Om het einde van de zomer te vieren of zo.'

'Het is bijna november.'

'Maar het is heel zacht weer. Voor de tijd van het jaar, bedoel ik.'

'Relatief zacht nu het winter is, bedoel je?'

'Dat is Engels optimisme, ja toch?' Hij is zichtbaar aangemoedigd door Tony's patriottische behoefte om op een koude, vochtige avond buiten slecht klaargemaakt eten te nuttigen. 'Misschien wil Sophie ook wel mee.'

'Die is naar hockeytraining. Maar zelfs als dat niet zo was, zou ze nog liever onkruidverdelger drinken dan de avond met ons doorbrengen.'

'Maar het zou heel gezellig kunnen worden.'

Dan rinkelt de telefoon en wordt elke gedachte aan de avond, leuk of niet, naar de achtergrond gedrongen.

30

Albert heeft altijd gedacht dat het een feestelijke gebeurtenis zou zijn als hij zijn buspas kreeg. De afgelopen jaren had hij gehoord dat mensen uitkeken naar dit moment, alsof de enige zin van het leven is zo oud te worden dat je gratis met de bus mag reizen. Maar vandaag, de dag waarop zijn buspas komt, heeft hij een wee gevoel in zijn maag.

Het feit dat hij nog steeds niets van Connie heeft gehoord helpt ook niet echt. Zonder een brief van haar lijkt alles grijzer en minder bevredigend dan zou moeten. Sterker nog, de buspas lijkt hem er alleen maar aan te herinneren dat hij nu een van de 'senioren' is, dat hij zelfs voordat hij officieel met pensioen is al deel uitmaakt van die doelloze groep mensen die zo weinig te doen hebben dat ze gratis met de bus mogen zodat ze zich ergens mee kunnen bezighouden. Hij heeft hun gezichten achter de raampjes van talloze bussen gezien, mensen die de hele dag rondjes hebben gereden – misschien als een manier om warm en droog te blijven, of omdat ze zich niet kunnen herinneren waar ze wonen. Ach, het komt allemaal op hetzelfde neer...

Zelfs de timing lijkt een wrede grap. Kijk, een buspas! Nu je te oud bent om ervan te kunnen genieten! Nu je bijna te zwak bent en permanent aan huis gebonden bent, mag je onbeperkt reizen! Geweldig, zo'n gulle overheid!

Ja, het is prettig om te weten dat hij in een bus kan stappen – welke bus dan ook! – en zich naar een onbekende plek kan laten brengen. Maar het heeft hem jaren gekost om te ontdekken welke route de criminelen in zijn eigen wijk volgen; het lijkt roekeloos om naar een volstrekt onbekende wijk te gaan. Ze zouden hem binnen een paar seconden beroofd hebben.

Misschien is dat ook wel de bedoeling, denkt hij. Het ís helemaal geen gratis buspas, maar een manier om het aantal oude mensen te beperken. Door de gepensioneerden die nog steeds actief en mobiel zijn te laten uitroeien, houdt de regering alleen maar zwakke oudjes over, en dan is een echte koudegolf voldoende om hen allemaal de dood in te jagen.

Vanochtend voelde Albert zich nog niet genoeg op zijn gemak om de buspas te gebruiken, maar hij besluit het te doen als hij van zijn werk naar huis gaat. Zelfs dan laat hij alle andere passagiers eerst instappen. Ergens verwacht hij dat de chauffeur er even naar zal kijken en hem dan de bus uit jaagt. 'Jij? Gepensioneerd? Uitstappen, vuile bedrieger!'

Maar nee, de chauffeur kijkt niet eens naar de pas. Zijn ogen zijn half-dicht, zwaar van de slaap, en er zit een verdachte, vochtige plek op de voorkant van zijn overhemd.

'Dat is het dus?' vraagt Albert.

'Wat?' snauwt de chauffeur.

Albert laat zijn pas weer zien. 'Dit is allemaal nieuw voor me, weet u. Ik heb hem vandaag pas gekregen.'

'En denk je soms dat ik nu *Lang zal hij leven* ga zingen of zo?' Hij rijdt zo schokkend bij de halte vandaan dat Albert door het middenpad struikelt.

Hij laat zich op een van de lege stoelen vallen en ziet dan dat hij omringd is door oude mensen. Dit is geen bus, maar een mobiel getto!

'U moet altijd proberen te gaan zitten voordat de bus begint te rijden,' zegt de oude dame die naast hem zit. Ze heeft een zachte stem en vriendelijke ogen. Een paar dunne haren die onder haar hoofddoekje uitsteken bewegen in een nauwelijks waarneembaar briesje. 'Deze denkt dat hij een autocoureur is, dat is het probleem.'

'Anders zit ik altijd boven,' zegt Albert.

'Bent u gek? Daar zitten die criminelen altijd. Ik heb ze gezien. Ik heb ze zelfs weleens gehoord, als ze boven staan te stampen en te schreeuwen...' Haar woorden sterven weg en even denkt Albert dat ze niet meer weet waar ze het over heeft. Opeens begint ze weer te praten. 'Weet u wat ik zou doen als ik de chauffeur was? Dan zou ik een mooi laag viaduct opzoeken en gas geven!' Met haar handen maakt ze een gebaar dat haar woorden moet onderstrepen. 'Dat zou ze leren!'

Bijvoorbeeld dat je geschifte oude vrouwtjes geen bus moet laten besturen, denkt Albert. Hij glimlacht tegen haar. 'Nou, als ik ooit zie dat u een bus bestuurt, ga ik in elk geval niet boven zitten.'

'Goed, want ik ben niet van plan van tevoren iemand te waarschuwen. Verrassing is een absolute vereiste voor een geslaagde aanval.' Ze knikt opgetogen. 'Als ik kon, zou ik een bom op hun huis gooien.'

Albert kijkt om zich heen of hij ergens anders kan gaan zitten. 'Ik denk dat ik maar achterin ga zitten,' zegt hij, en hij hoopt dat hij haar niet beledigd. 'De eh... trilling van de motor is niet goed voor mijn reuma.'

De vrouw lijkt geïntrigeerd en lijkt deze tip graag aan anderen te willen doorvertellen. Voordat ze Albert nog meer kan vragen, schuifelt hij naar achteren. Hij houdt zich vast aan de rugleuningen om zijn evenwicht niet te verliezen terwijl de bus door de straten van Zuid-Londen scheurt.

Achterin zorgen het gebrul en de warmte van de motor ervoor dat de bus meer op een fabriekshal lijkt dan op een openbaar vervoermiddel. Albert knikt naar zijn nieuwe buren, twee mannen en een vrouw. 'Ik denk dat het hier achterin beter is.'

'U hoeft niet beleefd te zijn, hoor,' zegt een van de mannen. 'Iedereen weet dat ze knettergek is.'

'Je moet altijd zorgen dat ze niet over jonge mensen begint,' zegt de vrouw.

'"Als ik kon, zou ik een bom op hun huis gooien",' zegt de andere man.

Ze beginnen allemaal te lachen en zelfs Albert zit nu te grinniken, aangestoken door de ontspannen, onverwachte kameraadschap tussen onbekenden in een bus.

31

Als Bob de telefoon opneemt staat hij nog, maar na tien seconden gaat hij al zitten. 'Oké,' mompelt hij aan het einde van het gesprek, 'bedankt voor het bellen.'

Hij legt de telefoon heel voorzichtig neer, zodat Carol niet eens hoeft te vragen wat de specialist heeft gezegd. Bob lijkt totaal overrompeld, alsof zelfs de meest eenvoudige motorische handeling te veel moeite is. Uiteindelijk geeft hij zich over aan de zwaartekracht en laat zich in een stoel zakken. 'O mijn god...'

'We vechten ons er wel doorheen, Bob.' Ze slaat haar arm om hem heen. Zo'n beschermend gevoel naar hem toe heeft ze al jaren niet meer gehad. 'We laten ons hierdoor niet kisten.'

'Ik kan niet naar die barbecue.'

'Natuurlijk gaan we er niet naartoe.'

'Nee, jij moet wel gaan, hoor!'

'Wat?'

'Als we allebei niet komen, denken ze dat er iets aan de hand is.' Bob begint te huilen. 'Ik wil niet dood.'

'Je gaat ook niet dood.'

'Hoe weet jij dat nou?' vraagt hij hees tussen zijn snikken door.

'Omdat... omdat... ik in hoop geloof.' De ironie van deze opmerking ontgaat haar niet. Hoop, het enige waardoor ze bijna zeker weet dat ze ooit vrij van hem zal zijn, is op dit moment precies datgene wat haar aan hem bindt. Ze drukt hem steviger tegen zich aan, overtuigd van haar opmerking, ondanks de prijs die ze zal moeten betalen. 'Ik weet dat we hier doorheen zullen komen, omdat ik er samen met jou tegen zal vechten. En berg je maar als ik kwaad ben!'

'Wat jammer dat Bob niet kon komen,' zegt Tony, terwijl hij een paar minikarbonaadjes insmeert met een kleverige substantie. 'Slappe lul.'

'Volgens mij heeft hij tijdens de lunch iets verkeerds gegeten,' zegt Carol. 'Hij moest gewoon even liggen.'

'Iets wat hij tijdens de lunch heeft gehad! Wat denk je van een gore hoer met een soa? O, maar ik bedoel jóú niet hoor, schat!' Hij grinnikt zacht en vindt het duidelijk helemaal geen probleem dat hij dit tegen de echtgenote van deze man zegt.

'Nee,' zegt Carol, 'ik weet vrij zeker dat hij dat niet heeft gehad.'

'Dan is dát dus het probleem! Volgens mij doet een beetje overspel wonderen voor je immuunsysteem. Wat vind jij, Mandy?'

'Waar gaat het over, Tone?' Ze komt aan gelopen met een plastic bekertje wodka in de hand en een afwezige blik die suggereert dat ze al redelijk veel heeft gedronken.

'Neuken!' schreeuwt Tony zonder enige gêne. 'Neuken doodt elke bacterie.'

Mandy lijkt hier serieus over na te denken. 'Ik weet het niet zeker, maar het klinkt beter dan penicilline, ja toch? Als artsen dat soort dingen voorschreven, ging ik er vaker naartoe.'

Tony zet zijn borst op en schreeuwt door de kamer: 'Ik ben de enige dokter die je nodig hebt, smerige hoer die je bent!'

Carol kan zich niet voorstellen wat deze mensen tegen elkaar zeggen als ze lief tegen elkaar willen zijn. Mandy begint te giechelen en drinkt haar drankje op, terwijl Carol naar het raam loopt en hoopt dat het gaat regenen. Ze hoopt niet alleen dat het gaat regenen, maar dat er een ramp gebeurt, iets waardoor dit hele huis wegspoelt. In gedachten ziet ze hoe Tony en Mandy worden meegesleurd door het woest stromende water, terwijl Tony boven het kabaal uit schreeuwt dat er heus nog wel tijd is voor anale seks. Ze wil naar huis om te zien hoe het met Bob gaat – nog steeds een romantische aandrang – maar ze heeft opdracht gekregen niets te doen waaruit blijkt dat er iets ergs aan de hand is. 'Amuseer je maar,' had Bob met een ernstig gezicht gezegd.

Zelfs als er niets aan de hand was, zou dat al lastig zijn geweest, maar vandaag lijkt dat totaal onmogelijk. In de donkere achtertuin kan ze de barbecue zien staan, een altaar waarop de avond straks zal worden geofferd als een verbrande offerande. En daarna moet iedereen het vlees opeten dat zowel verkoold als nog bijna rauw zal zijn.

'Lachen!' roept Mandy, met een camera in de aanslag.

Carol is even verblind door de flits en ze vraagt zich af of je hetzelfde voelt als je doodgaat.

Mandy kijkt naar de foto die ze net heeft genomen. 'Je had je vingers gekruist,' zegt ze, maar uit haar toon is niet af te leiden of ze dat goed of niet goed vindt.

'O, dat,' zegt Carol, 'dat doe ik altijd.'

'Grappig.' Zichtbaar opgelucht legt Mandy de camera neer, alsof dit stukje techniek haar zowel fysiek als psychisch heeft uitgeput. 'Oké, nu moet ik me dus even bezighouden met het belangrijkste van deze avond.' Ze geeft Carol een grote cocktail. 'Jij mag natuurlijk niet nuchter blijven.'

'Tja, als je erop staat...' Carol neemt een paar grote slokken.

'Hé jongens, we moeten haar goed in de gaten houden, hoor!' schreeuwt Tony en hij wijst met een nog bevroren varkenskarbonade naar Carol. 'Dat is een vrouw met een missie, dat zie ik zo! Dat gebeurt er als een man thuisblijft om zijn ballen te krabben!'

Na afloop van de barbecue zijn Mandy en Tony behoorlijk dronken. Ze doen de discolampen in hun woonkamer aan, waardoor hun huis meteen op een goedkope karaokebar lijkt.

'Geweldig, vind je niet?' roept Mandy als de lampen aanspringen en haar blonde highlights aan een vreugdevuur doen denken.

'Ik kan het me niet voorstellen,' zegt Carol onduidelijk, 'maar misschien had niemand zin in een barbecue op zo'n kille, klamme avond!'

'Maar het was wel leuk, hè?'

'Nee, niet echt, maar een paar dingen waren wel lekker. Hoewel, dat kwam ook wel een beetje door de drank.'

Mandy vat dat op als een compliment. 'Volgens mij zijn Tone en ik gewoon buitenmensen, begrijp je? Dat geldt niet voor iedereen.'

'Jezus, Mandy, je bent alleen maar een buitenmens in die zin dat je je auto liever op de oprit parkeert dan in de garage.' Carol neemt nog een slok wodka. 'Ik moet naar huis.'

'Maar dat mag niet, nog niet. Ik heb je ons grote nieuws nog niet verteld. Ik en Tone gaan proberen een kindje te maken!'

'O, lieve god...' Carol neemt nog een grote slok. 'Eerlijk gezegd zouden jullie serieus sterilisatie moeten overwegen!'

'Maar daar hoef je je niet druk over te maken, hoor. Ik maak al heel veel dingen schoon met bleekmiddel.'

'Dingen, wat is daarmee?' roept Tony vanaf de andere kant van de kamer.

'Dat ik die met bleekmiddel schoonmaak, ja toch? Ik word nog een beetje een schoonmaakfreak op mijn ouwe dag!'

'Er is maar één ding belangrijk in dit huis en wat je daar met je mond mee doet is prima.'

'Oké,' zegt Carol. 'Nu moet ik echt naar huis.'

Mandy kijkt teleurgesteld, maar door een plotselinge lichtflits van een van de discolampen lijkt het alsof ze door de duivel is bezeten.

'Ik wil nog een brief aan een vriend schrijven voordat ik naar bed ga!'

schreeuwt Carol boven de muziek uit. 'Als ik nu niet naar huis ga, kan ik geen pen meer vasthouden, laat staan helder denken.'

'Het gaat sneller als je het met je vingers doet. Ik bedoel, ik typ maar met twee vingers, maar dat is beter dan met een pen op het toetsenbord tikken.'

Carol realiseert zich dat ze, als zij en Mandy mannen waren, haar nu een vuistslag zou geven. Maar ondanks deze gewelddadige gedachte, haalt ze diep adem en zegt: 'Bedankt. Misschien probeer ik dat wel.'

32

Misschien vandaag, denkt Albert. Misschien komt er vandaag wel weer een brief van Connie.

Maar als hij eerlijk is, weet hij dat dit net zo goed niet het geval kan zijn. Vanuit statistisch oogpunt bezien weet hij zelfs niet eens of het feit dat het langer duurt de kans op een nieuwe brief juist groter of minder groot maakt. Stel dat ze geen zin meer heeft om nog een brief te schrijven? Of dat ze dood is? Dan kan hij wachten tot hij een ons weegt!

Ondertussen moet hij sterk blijven, dat begrijpt hij wel. Hij moet aan zijn longen denken, hoewel hij nog steeds niet weet wat hij daarmee moet doen. Het enige waar hij echt controle over heeft, is zijn geest. En hij is vastbesloten die in goede conditie te houden.

'Wát doe je?' vraagt Mickey als Albert probeert uitleg te geven.

'Het heet sudoku,' zegt Albert en hij hoopt maar dat het nu net lijkt alsof hij het zelf helemaal snapt.

'Wat is dat voor taal?'

'Dat maakt toch niet uit? Het gaat erom dat je je geest traint.'

'Ja, maar stel dat de naam wel een belangrijke betekenis heeft?'

'Maar dit spel gaat om cijfers, niet om woorden.' Hij heeft het gevoel dat hij er recht op heeft geïrriteerd te klinken, hoewel hij in werkelijkheid blij is met de afleiding. De sudoku-puzzels die hij tot nu toe heeft geprobeerd te maken, waren te moeilijk voor hem.

'Oké, cijfers.' Mickey knikt vol onbegrip. 'En waarom doe je dat?'

'Omdat het goed voor je is! Het houdt je scherp.'

'Hoezo? Ben je soms bang dat je op je ouwe dag een beetje traag van begrip wordt?'

'Dat zei ik toch niet!'

'Nee, maar ik heb je dat nooit eerder zien doen.' Hij bladert door het puzzelboekje vol onafgemaakte pogingen. 'En eerlijk gezegd lijkt het alsof je het heel moeilijk vindt.'

'Is het al zo laat?' vraagt Albert. Hij grist het boekje uit Mickeys handen en legt het weg. 'Dat is het probleem met dat soort dingen. De tijd vliegt voorbij.'

'Misschien komt dat ook door je leeftijd, Albert. Mijn moeder vergat altijd welke dag het was. Eerst vonden we dat wel grappig, maar later wilde ze haar haren föhnen terwijl ze in bad zat. En nu is ze dood.'

Albert laat even een hopelijk respectvolle stilte vallen. 'Ik neem aan dat je me de post van vandaag komt brengen?'

'Zie je, ik word al net zo seniel als jij bent! En ik ben niet eens oud.' Hij overhandigt Albert een dun stapeltje brieven. 'Weet je, Albert? Als er in dat boekje een paar bladzijden zitten waar je nog niet aan bent begonnen, wil je ze er dan uitscheuren en ze in het herentoilet achterlaten? Het is altijd fijn om iets te doen te hebben als het eh... je weet wel, even duurt. Ik weet niet of dat door te veel of te weinig vezels komt, maar soms lijkt het wel alsof er dagenlang geen beweging in zit.' Hij zwijgt, waarschijnlijk om Albert de kans te geven er iets over te zeggen. Ze kijken elkaar zwijgend aan. 'Oké dan,' zegt Mickey, 'doei.'

Zodra hij weg is, bladert Albert opgewonden door het stapeltje enveloppen.

Een paar onjuist geadresseerde zakenbrieven.

Een onleesbare ansichtkaart.

Alweer een brief voor de Kerstman, deze keer ongetwijfeld van een akelig kind met veel te veel zakgeld.

En daar is hij!

De smiley.

De rest gooit hij meteen in de afvalbak. Deze brief is de enige die belangrijk is.

Hij knikt goedkeurend om haar papierkeuze; het papier is zo dik en romig dat het warm aanvoelt. 'Duur,' zegt hij, amper in staat zijn genoegen te verbergen.

Voorzichtig scheurt hij de envelop open. Hij geniet van het moment met de voorpret van iemand die een brief heeft gekregen van een goede vriend.

33

Alweer een brief! 'En zo vlug al,' hoor ik je zeggen.

Albert schrikt van deze woorden, maar dan besluit hij dat ze het gewoon sarcastisch bedoelt. Ze is immers een Connie.

Ik ben weer dronken...

'Die meid heeft een drankprobleem,' zegt hij zacht. 'Ze krijgt met kerst dus geen kersenbonbons of zo.'

... maar je hoeft je geen zorgen te maken, ik ga echt niet weer tegen je schreeuwen. De vorige keer was ik ongelukkig dronken... een jammerende klaagzang eigenlijk... maar deze keer, nou ja, ik kan niet zeggen dat ik gelukkig dronken ben, want mijn man heeft vandaag gehoord dat hij kanker heeft. Ik houd niet van hem, dat is zo, maar helemaal harteloos ben ik nou ook weer niet. Ik denk dat ik verdoofd dronken ben. Ik ben verdoofd door de schok dat hij kanker heeft. Hoewel ik ook heb geprobeerd de afschuwelijke barbecue bij een vriendin te verdoven. (Vriendin! Laat me niet lachen!)

Even tussendoor: ik was echt niet van plan om naar een feestje te gaan op dezelfde dag als waarop mijn echtgenoot hoorde dat hij kanker had. Maar hij stond erop dat ik er wel naartoe ging. Ik had dus niet veel keus. Als iemand net heeft gehoord dat hij een dodelijke ziekte heeft, kun je geen nee zeggen als hij je vraagt iets voor hem te doen. Hoewel er natuurlijk wel grenzen zijn aan hoever je wat dat betreft moet gaan, denk ik. Ik bedoel, als hij me had gevraagd iets illegaals te doen of iets echt pervers, dan had ik daar echt over na moeten denken. Gelukkig is mijn man niet zo interessant.

Misschien moet ik even vertellen dat eigenlijk een van de ballen van mijn man kanker heeft, niet hijzelf. En omdat die ene bal nu ergens in Chelsea in een koelcel ligt, zou je dus eigenlijk kunnen zeggen dat hij helemaal geen kanker heeft. Maar weet je, niemand weet het nog en het alternatief is dat hij wél kanker heeft en dan... verdomme!

Ik bedoel, verdomme!!!

Ik weet niet eens wat er dan gebeurt.

Hoe dan ook, deze brief is een soort van 'alle feiten op een rijtje zetten'-bekentenis. Of misschien voel ik me gewoon schuldig over wat ik in mijn vorige brief heb gezegd.

Ik weet wel dat ik heb gezegd dat ik niet van mijn man houd en dat ik bij hem wegga en zo (wat trouwens allemaal waar is), maar dat betekent niet dat ik niet op een ruimere, algemenere manier van hem houd. Het is net zoiets als... als in een vliegtuig zitten. Mijn liefde voor hem zit zeker niet in de eerste klasse met een glas champagne en een goed boek. Hij zit zelfs niet bij de nooduitgang in de toeristenklasse (hoewel ik dat wel een toepasselijk beeld vind). Mijn liefde voor hem zit midden in een overvolle rij helemaal achter in het vliegtuig, vlak bij de wc's. Maar mijn liefde voor hem zit hoe dan ook in dat vliegtuig en dat is natuurlijk het enige waar het om gaat.

Het is dus vreemd dat, hoewel ik niet van hem houd (op die eersteklassemanier), zijn kanker me heeft herinnerd aan wat ik wel leuk aan hem vind. Niet dat ik nu opeens aan al zijn lieve attenties en leuke grapjes denk, want hij doet niet aan lieve attenties en zijn grapjes zijn nogal flauw, eerlijk gezegd. Nee, ik bedoel denk ik dat we een gezamenlijk verleden hebben. We hebben een kind! Het is alsof we samen door een gigantische storm zijn gezeild en we dat op de een of andere manier hebben overleefd. (Breng ik je in verwarring door al mijn gepraat over vliegtuigen en schepen? Ik raak er zelf door in de war.) Laat ik maar zeggen dat ons huwelijk een heel erg lange vlucht is geweest en dat het vliegtuig nu is neergestort. Het feit dat ik er spijt van heb dat ik in dat vliegtuig ben gestapt, het grootste deel van de vlucht vreselijk vond en nu ergens ben waar ik niet wil zijn, is niet meer belangrijk. Het punt is dat we het hebben overleefd. Het is moeilijk om geen band te voelen met iemand met wie je iets dergelijks hebt meegemaakt.

Toch denk ik dat deze metafoor niet echt logisch is, omdat hij niet eens weet dat het vliegtuig is neergestort. Hij denkt dat we gewoon wat turbulentie hebben gehad, maar dat we morgen op het strand zullen ontbijten. Ik weet wel dat alles in het leven subjectief is, maar het is bijna onmogelijk dat twee mensen die in hetzelfde vliegtuig zaten dat anders zouden ervaren: dat de een ontspannen op een hoogte van tienduizend meter zit en de ander door een brandend wrak strompelt.

God, wat ben ik moe.

En daarmee bedoel ik niet dat jij God bent, hoor! Zelfs als Hij bestond, zou ik niet tegen die mafkees praten.

En jij heet geen Richard, dat weet ik ook. Ik zal je niet weer Richard noemen, dat was gewoon een moment van gekte.

Albert leest deze zin een paar keer en snapt het nog steeds niet.

En ik ga je al helemaal niet nog een keer vertellen hoe ik heet. Dat was één keer maar nooit weer, vrees ik.

Gelukkig houd ik best veel van de geheimzinnigheid en de anonimiteit van C.

Dus hier is hij weer,

C.

Albert is verbijsterd. Hij is omringd door zoekgeraakte brieven, duizenden, en toch weet hij wat er met die van haar is gebeurd.

Ze meende wat ze zei, zo klinkt het in elk geval wel. Ze heeft hem verteld hoe ze heet.

En die brief is weggegooid.

Gerecycled als toiletpapier, samen met een heleboel andere waardeloze rotzooi.

Hij wil schreeuwen, hij wil gillen, hij wil zelfs huilen.

Maar hij blijft zitten, stil, verdoofd.

Slechts één woord borrelt zacht naar zijn lippen. 'Verdomme.'

34

Carol snapt er niets van. Ze is de afgelopen twee dagen belachelijk beschermend geworden naar Bob toe. Ze maakt zich zorgen over zijn gezondheid en vraagt zich tegelijkertijd af wanneer ze eindelijk zijn hart kan breken. Haar kater na Mandy's feestje heeft hen ook dichter bij elkaar gebracht. Volgens Bob heeft ze zich niet bezat, maar heeft ze zich opgeofferd voor het team.

Het helpt natuurlijk ook dat vrijen onmogelijk is. Bobs balzak is nog steeds bijzonder gevoelig, alsof hij een ongeluk heeft overleefd, en hij heeft al een paar keer gezegd dat hij geen zin meer heeft in seks; alweer iets wat zowel voor hem als voor Carol geldt.

'Het is net zoals in het begin van onze relatie,' zegt Bob als ze onder de dekens lekker tegen elkaar aankruipen.

Carol lacht. 'Nee, in het begin was je veel geiler.'

'Ik probeerde je alleen maar te bevredigen.'

'O, ik begrijp het. Wat lief van je! Wat onbaatzuchtig!'

'Je leek ervan te genieten.'

Ze bloost en herinnert zich een korte periode in het verre verleden waarin ze het lekker vond om met hem te vrijen, een tijd waarin hij haar wereld leek op te vrolijken. Pas in de jaren daarna had ze zich gerealiseerd dat dat niet kwam door Bobs glans, maar door de duisternis van haar eigen bestaan.

'Hou je nog altijd van me?' vraagt hij.

De woorden blijven in de lucht hangen.

'Natuurlijk hou ik van je.' Achterin, vlak bij de wc's. 'Waarom vraag je dat?'

'Het komt gewoon... Ik weet het niet, mensen veranderen in de loop der jaren, ja toch?'

'En wij zijn al jaren bij elkaar.'

'Denk je dat wij zijn veranderd?'

'Natuurlijk zijn we veranderd. Ik bedoel, we hebben Sophie gekregen en al die dingen die gezinnen horen te hebben: een te duur huis, een verwaarloosde tuin, hoge schulden.'

'Maar ik heb het over ons.'

Carol vindt het niet prettig, dit gesprek. Ze geniet van de intimiteit met Bob, juist omdat het geen echte intimiteit is. Het is een toneelachtige uitbeelding van het echte leven: een vrouw die er zo goed in is om net te doen alsof ze van haar man houdt dat hij het echt gelooft. Bob vernietigt de puurheid van dit moment. Net zoals het gerinkel van een mobiele telefoon in de stalles, is er in Carols toneelspel geen ruimte voor de waarheid van het leven van alledag.

'Waarom vraag je dit allemaal?' vraagt ze.

En voor het geval dit te confronterend klinkt, wrijft ze teder over zijn buik. Heel even heeft ze zelfs het gevoel dat ze hem behandelt als een hond: ik heb een bot voor je weggegooid; ga het nu maar halen!

'Misschien denk je aan dit soort dingen als je opeens ziek bent,' zegt hij. 'Daardoor vraag ik me af wat ik heb bereikt.'

Carol denkt dat dit wel een bijzonder deprimerende bezigheid moet zijn, want in feite heeft hij maar bitter weinig bereikt. Ja, ze hebben een kind, maar dat is meer een kwestie van oorzaak en gevolg. En ja, ze hebben een mooie auto en een prettig huis, maar Carol heeft niet het gevoel dat dit dingen zijn waar iemand echt trots op kan zijn. Eigenlijk is het een wereld van onzichtbare armoede, waar de huizen en de auto's wel de indruk wekken van succes, maar zonder dat er iets substantieels onder zit. Als dit succes is, waarom moet je dan continu geestdodend werk verrichten alleen maar om stil te staan?

'Denk je dat Sophie iets doorheeft?' vraagt Bob.

Carol wil zeggen dat Sophie daar veel te egocentrisch voor is, maar zegt: 'Ze denkt misschien dat we ons een beetje vreemd gedragen, maar wij zijn haar ouders: misschien verwacht ze wel dat we ons vreemd gedragen.'

Bob lijkt gerustgesteld. 'Weet je wel zeker dat je morgen mee wilt?' vraagt hij. 'Het hoeft niet, hoor.'

Ze glimlacht naar hem, opgelucht omdat ze nu weer eerlijk kan zijn. 'Ik heb je toch al gezegd dat ik het zelf graag wil. Vanaf nu doen we dit samen.'

Carol snapt meteen waarom mensen voorkeur hebben voor particuliere medische zorg. In de praktijk van Bobs specialist hangt een sfeer van een 'alleen toegang voor leden'-club, en heel even is ze bang dat er ook speciale kledingvoorschriften gelden. Het zou haar niets verbazen als de receptioniste met een minachtende blik zou zeggen: 'Ja, natuurlijk weet ik wel dat uw man kanker heeft, maar tot de zoom van uw rok onder uw knie hangt, kunt u allebei oprotten!'

Maar de receptioniste is heel aardig; ze gedraagt zich alsof ze op een Zwitsers internaat heeft gezeten en op een landgoed is opgegroeid. Zelfs als ze wél zelf voor deze ervaring zouden betalen, zou Carol het gevoel hebben gehad dat ze al waar voor hun geld hadden gekregen. En dat nog voordat ze de arts zelf hebben gezien.

'Dokter Fitzgerald kan u nu ontvangen,' zegt de receptioniste, met perfect uitgesproken klinkers en toch zo hartelijk dat Carol zich kan voorstellen dat ze contact met elkaar zullen houden. Over een paar weken zal ze regelmatig worden uitgenodigd voor de fazantenjacht en voor dansfeesten.

Bobs stem onderbreekt haar gedachten: 'Carol? Carol?'

Ze ziet dat hij voor haar staat, met zijn hand naar haar uitgestoken. Hij helpt haar overeind uit de te diepe leunstoel en neemt haar mee naar een spreekkamer met mahoniehouten lambrisering waar de dokter hen als oude vrienden begroet.

'Meneer Cooper,' zegt hij, 'en dit moet uw lieve vrouw zijn. Wat fijn u eindelijk te leren kennen.'

Hij biedt hun geen martini of een kort spelletje bridge aan, maar verder doet hij alles om hen op hun gemak te stellen. Er wordt koffie in kostbare kopjes binnengebracht en hun vragen worden geduldig beantwoord op een manier waardoor de kanker lijkt op een voorbijgaande aanval van acne of een onschuldige wrat. Het zal binnen de kortste keren achter de rug zijn.

'Ik wil dat u nadenkt over het implantaat waar we het over hebben gehad,' zegt de dokter, en hij haalt een klein siliconen kussentje uit zijn bureaulade. 'Het is echt een bijzonder eenvoudige incisie en...' – hij houdt hem omhoog en knijpt er even in – 'zoals u kunt zien is het zo gemaakt dat het heel natuurlijk aanvoelt.'

Dus dit doen mannen met hun ballen, denkt Carol. Ze knijpen erin en bewonderen de soepelheid ervan. Ze vraagt zich af of ze dat uitsluitend doen wanneer ze alleen zijn en of ze het ook met hun vrienden bespreken. Ze realiseert zich dat mannen misschien op allerlei manieren die ze niet kent een band met elkaar opbouwen.

'Hier,' zegt de dokter enthousiast. Hij geeft het implantaat aan Bob, er kennelijk van overtuigd dat een kans om het aan te raken hem over de streep zal trekken.

'Is dit net zoiets als een borstimplantaat?' Bob kijkt even naar Carol als hij dit vraagt.

'Eh... ja, min of meer. Een borstimplantaat zou natuurlijk veel groter zijn, maar het heeft dezelfde basisconsistentie en het voelt net zo aan.'

Bob kneedt het implantaat met hernieuwd enthousiasme. De dokter kijkt nu met iets van afkeer in zijn blik naar Bob en zelfs Carol krijgt het gevoel dat Bob zich overgeeft aan een soort puberale fantasie. Ze pakt het van hem af en geeft het implantaat met een lijdzame blik terug aan de arts.

Deze herstelt zich snel en zegt: 'Goed, dan zie ik u morgenochtend graag weer in het ziekenhuis voor bloedonderzoek en CT-scans. Zodra we daar de resultaten van hebben, weten we precies hoe het ervoor staat.'

'En als het slecht nieuws is?'

'Ik denk bij dit soort zaken liever niet in termen van slecht nieuws. Het gaat om de afstand die voor ons ligt, dus of het een sprint van honderd meter is of een marathon van een paar kilometer. Hoe dan ook, ik ben van plan u bij de finish te verwelkomen met een stevige handdruk en een brede glimlach.'

'Dat krijg je niet bij een gewone dokter.'

'Wat niet, een glas gin?'

'Nee,' zegt Bob. 'Ik bedoel hoop.'

'Bij een gewone dokter mag je al van geluk spreken als je ook maar iets krijgt. Je zou allang dood kunnen zijn voordat je krijgt wat je nodig hebt.'

Even hangt er een ongemakkelijke stilte.

'Sorry, ik bedoelde niet dat jíj dood kon zijn.'

'Geeft niet, dat snap ik ook wel.'

'Ik bedoelde, men zou...'

De verduidelijking is niet aan Bob besteed, en zelfs al is de zin grammaticaal foutloos, hij klinkt overdreven uit Carols mond. Ze is niet iemand die het over 'men' heeft. Eigenlijk vindt ze het een deprimerende gedachte dat demografische factoren er de oorzaak van zijn dat ze haar eigen taal niet correct kan spreken. Ze denkt aan de receptioniste, bij wie het leek alsof de woorden uit haar mond fladderden, alsof ze altijd precies het juiste zei en alles heel natuurlijk klonk.

'Zij is een vlinder en ik ben een olifant.'

'Wat zeg je?'

'Niets. Ik dacht alleen maar hardop.'

'Over olifanten?'

'Nee, over het leven.'

Ze kijkt naar beneden als ze de Theems oversteken. Het is eb, waardoor de brede modderbanken aan weerszijden blootliggen en zichtbaar is wat maar beter niet gezien kan worden.

Carol voelt zich niet op haar gemak en wendt haar blik af. Ze kijkt naar de weg voor hen. Nog even en dan zullen de Londense straten viezer en minder goed onderhouden zijn, een duidelijk bewijs van het feit dat ze richting het zuiden van de stad rijden.

'Ben je gelukkig?' vraagt ze.

'Gelukkig nu ik kanker heb gekregen en op mijn tweeënveertigste een van mijn ballen kwijt ben? Nee, niet echt, Carol.'

'Dat bedoel ik niet. Ik bedoel...' – ze zucht, niet helemaal zeker van wat ze wel bedoelt – '... gelukkig met wie je bent, denk ik.'

Zodra ze de vraag heeft gesteld, dringt het tot haar door dat dit een verkeerde vraag is voor iemand als Bob. Het spreekt misschien wel in zijn voordeel dat hij nooit over dit soort dingen nadenkt. Of hij gelukkig is, hangt af van eenvoudige vragen – of hij nog een biertje neemt, hoe vaak hij zal proberen Carol over te halen met hem te vrijen voordat hij het opgeeft – maar de rest, alle existentiële vragen, die liggen vast en zijn onveranderlijk.

Hij kijkt bezorgd opzij. 'Waarom? Ben jij gelukkig? Met jezelf, bedoel ik?'

'Natuurlijk,' zegt ze, iets te snel. 'Ik weet niet eens waarom ik erover begon. Laat maar zitten.'

35

Hoewel hij de kans om te weten of de naam die hij haar heeft gegeven klopt heeft gemist, staat er in deze laatste brief niets waardoor Alberts vermoedens onjuist lijken. Ze gedraagt zich nog altijd als een Connie.

'Waarschijnlijk drinkt ze altijd gin,' zegt hij tegen zichzelf. Hij opent het koekblik en legt de nieuwe brief zorgvuldig onder de eerste. Hij wil ze in de juiste volgorde bewaren – een man kan niet veertig jaar voor een postbedrijf werken zonder het belangrijk te vinden dat brieven in een logische volgorde worden bewaard – en hij wil ook dat de smileys hem aankijken als hij het blik openmaakt.

'Het is niet fijn om te horen dat haar man ziek is,' zegt hij tegen Gloria, terwijl hij een blikje sardientjes opent en de inhoud op een bordje schept. 'En het is niet echt nieuws dat een smiley waard is, vind je wel? Maar ze zei immers al dat ze niet van hem houdt. En ze is natuurlijk een Connie, dat moeten we ook niet vergeten.'

Gloria kijkt hem afwachtend met grote ogen aan, terwijl hij de vis langzaam fijnprakt en daarna met het bord naar haar toe komt. Maar voordat hij bij haar is, dreunt Engelbert Humperdinck door de muren; hij zingt zo hard dat het net is alsof alles in het vertrek begint te trillen. Albert blijft opeens staan, nog steeds met het bord in de hand.

'Hij doet het weer,' zegt hij en hij slaakt een zucht.

Gloria likt om haar bek en probeert zich te verplaatsen met haar poten in het gips, maar Albert is zo afgeleid dat hij het niet ziet.

'Het is niet gewoon muziek, weet je? Dat is het probleem.' Hij begint te ijsberen. 'Het is getreiter, dát is het. Hij daagt me uit. Hij wil dat ik naar hem toe ga en bij hem aanklop.'

'*This is what you mean to me*,' gilt Engelbert.

Albert en Max weten allebei dat er geen confrontatie zal plaatsvinden. Albert zou natuurlijk wel de politie kunnen bellen, maar tenzij hij zeker weet dat Max wordt opgesloten en tot aan zijn dood in de gevangenis blijft, wordt hij liever niet met de consequenties daarvan geconfronteerd. De agenten zouden wel komen, en dat zou geweldig zijn, maar daarna zouden ze weer vertrekken, en daar is Albert zo bang voor. Het is gemakkelijker om net te doen alsof hij altijd al fan van Engelbert Humperdinck is geweest; hij moet het maar beschouwen als een gratis concert.

'Ik heb hem altijd een beetje te glibberig gevonden, maar gelukkig draait hij nu een ander nummer.' Engelbert begint weer aan het refrein, het geluid staat zo hard dat het meer op een klap met een stomp voorwerp lijkt dan op muziek. 'Hoewel ik moet zeggen dat glibberig niet een woord is dat op deze situatie van toepassing is.'

Eindelijk ziet hij hoe wanhopig Gloria is, dat ze zo graag haar eten wil hebben dat ze wel bezeten lijkt. 'Arme jij,' zegt hij. 'Alsjeblieft.'

Hij zet het bord voor haar neer en ze valt er meteen op aan, ze slikt alles gewoon door, zonder er zelfs maar op te kauwen.

Albert kijkt er even naar, maar de muziek overstemt haar gebruikelijke gespin. Nu hij dat niet kan horen, vindt hij het helemaal niet leuk om naar haar te kijken. 'Sorry,' zegt hij en hij haalt het bord weg, 'maar dit moeten we later maar doen.'

Doordat twee van haar poten in het gips zitten, kan Gloria alleen maar even omhoogkijken als het bord weer naar de keuken verdwijnt.

'Maak je maar geen zorgen, straks staat dat bord weer voor je neus.'

In het huis van de buren wordt Engelbert de mond gesnoerd door het woedende geluid van een naald die over de plaat krast. Heel even is het stil, maar dan hoort Albert een stem, onmiskenbaar die van Max.

'Stomme koe die je bent!' Max probeert het begin van het nummer terug te vinden en Engelberts kreunende zang is nu gereduceerd tot willekeurige geluidjes. 'Als je dat nog eens doet, smijt ik je verdomme door het raam naar buiten. Hoor je wat ik zeg?'

Even later begint het nummer opnieuw en de muren schudden weer als Engelbert in een tsunami van lawaai aan het nummer begint. Maar slechts enkele seconden later blijft de naald hangen en wordt het lied een gescandeerd woord, door de herhaling bijna hypnotisch: '*Mean, mean, mean, mean, mean, mean, mean, mean, mean, mean, mean, mean...*'

Het geluid houdt op en wordt vervangen door de stem van Max, zachter deze keer, maar ook kwader. 'Zie je nou wat je hebt gedaan? Stomme hoer die je bent!'

Stilte.

Albert wacht of Max een andere plaat zal opzetten, maar hij kan niet goed omgaan met tegenvallers, dat weet Albert. Hij gaat de komende uren waarschijnlijk boven een glas bier zitten sippen.

Nu Albert eindelijk weer in alle rust van zijn huis kan genieten, brengt hij de vis weer naar Gloria die meteen aanvalt en ondertussen tevreden spint.

36

De volgende dag is het zo koud en grijs dat de kans groot is dat in Londen verschillende mensen naar de Prozac zullen grijpen of voor een trein zullen springen.

Bob trekt een jas aan en slaat een sjaal om. 'En het wordt de komende maanden nog veel erger,' zegt hij met een ernstige, hoopvolle blik, alsof een grote ramp zijn eigen ongeluk zin zal geven. 'Ze zeggen dat het een lange, harde winter wordt.'

Altijd als iemand de woorden 'lang' en 'hard' in dezelfde zin gebruikt, moet Carol aan seks denken. Niet aan seks met Bob natuurlijk, op wie geen van beide woorden van toepassing zijn, maar...

Hij haalt haar met een kus op haar wang uit haar dagdroom. 'Tot straks.'

'Hoef ik echt niet mee?'

'Nee, ze willen gewoon een scan maken en wat in me prikken. Ik denk zelfs dat je gewoon in de wachtkamer zou moeten blijven.'

In de loop der jaren heeft ze geleerd tussen zijn regels door te lezen, zodat ze nu weet wanneer zijn 'nee' in werkelijkheid 'ja' betekent. En in dit geval denkt ze dat hij meent wat hij zegt. 'Nou, als je je bedenkt, moet je maar bellen,' zegt ze. 'Ik ga koffiedrinken bij Helen, verder heb ik geen plannen.'

Als Bob de voordeur opent, waait er een koude wind naar binnen. 'Wauw!' brult hij. Hij staat in de deuropening terwijl de wind aan zijn sjaal en aan de ongeopende rekeningen op het haltafeltje rukt.

'Ja, Bob, het is koud. Wil je alsjeblieft de deur dichtdoen?'

Stilte.

'Wel verdorie, Bo...' Ze rent naar de voordeur en blijft ook verbijsterd staan. 'Jeez...'

'Ben ik nou gek of stond hij er gisteren ook al?'

In de voortuin van de overburen staat een enorme vlaggenmast die het doodlopende straatje domineert. Bovenin hangt een vermoeid uitziende Union Jack.

'Jeetje, wat is hij groot!' zegt Bob.

Carol kijkt er ook naar, te verbijsterd om iets te zeggen. Het is bijna een belediging dat zoiets opvallends zo ongemerkt kan opduiken.

'Voor zoiets heb je toch zeker een vergunning nodig?' vraagt Bob.

'Geen idee,' mompelt Carol.

'Nou,' zegt Bob ten slotte, 'ik moet weg.'

'Ja, tot straks,' zegt ze, terwijl ze nog steeds met open mond naar de vlaggenmast staat te kijken.

Als Londen zich nog steeds in de greep van de prewinterdepressie bevindt, dan heeft niemand de moeite genomen dat tegen Helen te zeggen. Ze begroet Carol met een glimlach die ze al maanden, misschien zelfs al jaren niet meer heeft laten zien.

'Wat zie jij er vrolijk uit,' zegt Carol, niet in staat de argwaan uit haar stem te bannen.

'Is dat zo?' Helen bloost, maar ze houdt het niet vol de onschuld uit te hangen. 'Ik heb een afspraakje. Nou ja, het is geen echt afspraakje.'

'O, wat dan wel?'

'Nou ja, misschien is het ook wel een afspraakje. Maar het is een eerste afspraakje, gewoon een kop koffie, dus eigenlijk is het meer een afspraakje dat zogenaamd geen afspraakje is.'

Carol weet niet wat ze hierop moet zeggen en kijkt Helen alleen maar aan, vol onbegrip en verbazing.

'Kijk me niet zo aan!' zegt Helen. 'Ik heb ook een leven, weet je.'

'Nee, ik ben niet... Ik ben blij voor je, echt. Het is gewoon... Ik weet dat dit niets met jouw leven te maken heeft, maar mijn buren hebben net een vlaggenmast in hun voortuin gezet. Zomaar. De ene dag was hij er nog niet en de volgende dag stond hij er opeens.' Helen kijkt alsof ze niet begrijpt waar het over gaat. 'En nu vertel jij me dat je een afspraakje hebt. Ik heb het gevoel dat ik uit een konijnenhol ben gekropen of zo.'

'Is mijn leven echt zo tragisch?'

'Nee, het is gewoon... Hebben we het over een afspraakje met een echte, levende man?'

'Nee Carol, ik heb de sleutel van het plaatselijke lijkenhuis geleend. Volgens mij is een lijk een prima potentiële partner.'

'Ik bedoel, is dit een echt afspraakje of... weet ik veel, gewoon een vent die op zoek is naar een scharreltje?'

Helens ijzige blik geeft aan dat ze nu maar beter haar mond kan houden.

'Oké, hoe heb je hem leren kennen?' vraagt Carol.

'Ik heb een kennismakingsadvertentie geplaatst.'

'Zegt de vrouw die er heilig in gelooft dat ze alles maar gewoon moet laten gebeuren.'

'De juiste man kan me nooit vinden als ik hem niet laat weten waar hij moet zoeken.'

Helen gaat theezetten, een uitgebreid ritueel waarbij ze stinkende kruiden uit glazen potten haalt en in haar favoriete glazen theepot stopt. Ze heeft al vaak verteld dat deze bladeren geneeskrachtige eigenschappen hebben, hoewel Carol dat juist altijd heeft beschouwd als een prima reden om ze níét aan je gasten voor te schotelen.

'Ik hoop dat je je ervan bewust bent,' zegt Carol, 'dat mannen die de kennismakingsadvertenties lezen alleen maar seks willen.'

'Ja hallo, alle mannen willen seks!' Helen glimlacht vaag, een beetje verwachtingsvol ook. 'Zelfs de meest gevoelige mannen die zeggen dat ze zich willen settelen. Het komt dus heel goed uit dat je, als je een gezin wilt stichten, heel vaak moet vrijen.'

Ze schenkt kokend water in de theepot en kijkt oprecht tevreden als het water een vuilgroene kleur krijgt.

'Hoe dan ook,' zegt ze als ze met de theepot naar de bank loopt, 'seks is nog niet aan de orde, want ik wil dat jij ook komt.'

'Op je afspraakje?'

'Ja, dat probeer ik je dus uit te leggen. Het is alleen maar een afspraakje om elkaar te leren kennen.'

'En dat gaat echt veel beter als ik er niet bij ben.'

'Maar je bent mijn beste vriendin. Hij kan me niet leren kennen zonder dat hij me in mijn normale leven ziet.'

Carol vindt dit een bijzonder vreemde benadering van iemand leren kennen, alsof een man eerst moet weten of een vrouw 's ochtends uit haar mond stinkt voordat ze hem toestaat haar te kussen.

'En stel dat hij jou leuk vindt,' zegt Carol, 'maar mij niet?'

'Dan kan hij de pot op. Dan zoekt hij maar iemand anders.'

'Ja, maar ik dacht aan jou, niet aan hem.'

'Geweldig, mijn beste vriendin vindt dat ik voor de eerste de beste vent moet gaan die belangstelling voor me heeft.'

'Dat bedoelde ik niet.'

'Ik heb heel veel reacties op mijn advertentie gekregen, weet je.'

'Van wat voor soort mannen?'

'Maakt dat iets uit?'

'Nou, als ze dik boven de zestig zijn, tellen ze volgens mij niet mee.'

'Ze waren niet allemáál boven de zestig.'

'De rest zat in de bak.'

'Carol, wil je erbij zijn of niet?'

'Wat als ik nee zeg?'

'Dan luis ik je erin. Je zult hem hoe dan ook ontmoeten. Ik wil weten wat jij van hem vindt.'

Omdat Carol niet weet hoe Bob zich voelt als hij thuiskomt, besluit ze allerlei lekkernijen in huis te halen. Tenminste, ze doet net alsof dat de reden is. In werkelijkheid vindt ze het gewoon heerlijk om naar de supermarkt te gaan. Dat is altijd een Bob-vrije zone geweest en Sophie zou zich eerder verhangen dan iets nuttigs doen als boodschappen in huis halen.

Carol dwaalt langs de stellingen en verliest zich in alle mogelijkheden. Voor haar gevoel vertelt elk artikel zijn eigen verhaal, suggereert het een bestaan dat anders is dan het hare. Ze vindt het prettig om zich af te vragen hoe haar leven eruit zou zien als ze iemand was die biologische geitenmelk kocht of geroosterde sesamolie.

Ze vindt het altijd heerlijk om lang bij de kruiden en specerijen te blijven staan. Ze kan zich heel goed voorstellen dat ze in andere omstandigheden venkelzaad zou kopen en met de hand zou malen tot het hele huis naar anijs zou ruiken. Wat ze daar vervolgens mee zou doen is minder duidelijk, maar toch liggen ze daar: dertig of veertig zakjes venkelzaad die erop wachten tot ze worden gekocht door mensen met uitgebreidere culinaire mogelijkheden en met een pikanter leven dan het hare.

Het is verleidelijk om te denken dat dit het echte probleem van haar leven is: dat alles anders zou zijn als ze met meer aandacht naar kookprogramma's zou kijken. Bob zou natuurlijk veel dikker zijn, wat niet bepaald een aantrekkelijk idee is, maar Sophie... Dát ontbreekt er misschien in hun relatie: dat moeder en dochter samen een heleboel verrukkelijke taarten bakken. Het onvoorspelbare proces van bakken wordt opeens een parallel voor de mysterieuze alchemie van de menselijke liefde.

Ze wil haar theorie testen door te kijken of er gelukkige, tevreden moeders langskomen, maar het lijkt verdacht om gewoon maar een beetje in een supermarkt rond te hangen. Doelloos ronddwalen, prima; het zou niet vreemd zijn als de helft van de klanten hier al maanden ronddwaalt. Maar ergens blijven staan wachten, dat voelt sinister. En trouwens, wat moet ze doen als er iemand aankomt? Zich voorstellen? Een recept vragen? Zeggen dat ze behoefte heeft aan een vriendin?

Ze loopt naar het volgende pad, terwijl ze stiekem wilde dat ze was blijven staan. In deze stellingen ligt van alles wat ze echt zou kunnen kopen: de gedenatureerde, bewerkte troep die in haar huis meestal voor eten doorgaat. Doordat het in plastic is verpakt en boordevol conserveringsmiddelen zit, lijkt het alsof het er altijd smakelijk en vers uit zal zien. Als dit Pompeï was, zouden archeologen dit duizenden jaren later kunnen opgraven en gewoon kunnen opeten. En wat zegt dit over Carol dat ze dit soort eten in huis heeft?

Ze voelt zich schuldig, loopt terug naar het vorige pad en legt een zakje venkelzaad in haar karretje. Hierdoor aangemoedigd loopt ze nog verder terug en pakt ook zakjes bakkersgist en gelatine. Het feit dat ze niet weet wat ze ermee moet doen, lijkt niet belangrijk. Het enige wat wel belangrijk is, is dat ze stelling neemt.

Aan het einde van het pad pakt ze een reep pure chocolade, wat Bob en Sophie absoluut niet lusten. Als ze eerlijk is, vindt zij het ook niet echt lekker, maar op dit moment vertegenwoordigt deze pure chocolade alles wat haar eigen leven niet is. Ze legt een paar repen in haar karretje en loopt terug naar de kruiden. Met elke stap die ze zet, krijgt ze meer het gevoel dat ze nu echt leeft.

Carol verwacht dat Bob psychisch in de kreukels ligt als hij thuiskomt, maar hij doet bijna alsof er die dag niets is gebeurd.

'Ze moeten nog meer onderzoeken doen,' zegt hij. 'Ze denken dat het een maligne was in een bijzonder vroeg stadium.'

Maligne. Het is vreemd om een woord dat zo technisch en zo vreemd is uit Bobs mond te horen, bijna even schokkend als de kanker zelf.

'Dat is geweldig,' zegt Carol. 'Ik bedoel, relatief gezien dan.'

'Hoewel ik denk dat ik griep krijg.'

Meteen verdwijnt Carols medeleven; ze kan bijna horen dat de motoren zichzelf uitschakelen. In de afgelopen twintig jaar heeft Bob niet eens kunnen niezen zonder meteen te denken dat hij de griep kreeg, een proces dat altijd uitmondt in uitgebreide zelfmedicatie en verschillende dagen nietsdoen. Gelukkig lijken de tassen met boodschappen hem zo af te leiden dat hij vergeet erover door te zagen.

'Heb je de hele winkel leeggekocht?' Hij vraagt het meer verbaasd dan geïmponeerd.

Carol wil antwoorden dat ze alleen maar ter wille van hem naar de supermarkt is gegaan, maar dat zou niet erg geloofwaardig zijn omdat hij de meeste dingen die ze heeft gekocht nooit zal eten.

'Ik bedoel, pure chocolade is al erg,' zegt hij, 'maar chilipeper?' Hij vertrekt zijn gezicht, alsof hij al misselijk wordt door er alleen maar naar te kijken. 'En wat moeten we hier in vredesnaam mee?' vraagt hij als hij een zakje met kardemomzaad uit de tas haalt.

Zelfs Carol weet dat niet zeker, maar ze werd aangetrokken door de geur die ze door de plastic verpakking heen kon ruiken: de geur van Indiase tempels en de chaotische achterafstraatjes van Delhi.

'Heb je ook iets gekocht wat ik kan eten?'

Carol rommelt door een van de tassen en haalt er een pak geglazuurde donuts uit. 'Dat is ongezond,' zegt ze. 'Daar zit niets in wat goed voor je is.'

'Maar nadat ik zoiets heb gegeten, ga ik in elk geval niet spontaan over mijn nek.'

Carol opent een potje zongedroogde tomaatjes en snuift de geur op: Sicilië, nazomer, het hele eiland ligt te glinsteren in een hittegolf.

'Ik heb een beetje hoofdpijn,' zegt Bob, met zijn mond vol donut. Daarna haalt hij nog twee stuks uit de verpakking. 'Ik ga even op de bank liggen.'

'Ik denk dat ik voor het avondeten een nieuw gerecht ga klaarmaken.' Bob lijkt haar niet te horen. 'Het wordt een... verrassing.'

Een uur later heeft Bob ervoor gezorgd dat de hele woonkamer op de afdeling Infectieziekten van een tropisch ziekenhuis lijkt: veel te warm, schemerig verlicht en stinkend naar zweet. De woonkamer doet denken aan een man met een veel groter probleem dan kanker.

'Volgens mij is het niet gezond dat het hier zo heet is,' zegt Carol vanuit de deuropening. Ze kan Bob alleen maar zien in het licht van de televisie.

Als hij zich omdraait om naar haar te kijken, ziet zijn gezicht er blauwachtig en levenloos uit. 'Volgens mij is het beter om het eruit te zweten,' zegt hij.

'Maar misschien is het niet zo'n goed idee om op de bank te gaan liggen zweten.'

Bob negeert haar en kijkt weer naar de tv.

'Het eten is bijna klaar.'

'Wat eten we?'

Carol aarzelt, ze weet niet goed hoe ze die vraag moet beantwoorden zonder hem af te schrikken. 'Als je nog een paar minuutjes geduld hebt, kun je het zelf zien.'

37

Albert kan de verandering gewoon voelen. Het is heel langzaam gebeurd, maar het is echt zo. En hij weet dat Gloria het ook voelt. Ze kijkt anders naar hem, ze lijkt te weten dat ze zijn liefde nu met een andere vrouw moet delen.

Toch, zegt hij tegen zichzelf, ben ik niet geobsedeerd, niet zoals de vorige keer. Toen kon hij niet meer helder nadenken, kon hij geen hap meer door zijn keel krijgen zolang er geen nieuwe brief kwam, maar nu... Het is waar dat hij heel graag weer iets van Connie wil horen, maar hij en Connie zijn vrienden geworden en dat gebeurt nu eenmaal als je heel lang niets van elkaar hebt gehoord. Dan maak je je zorgen.

'Wat denk je, zou het wel goed met haar gaan?'

Gloria knippert mysterieus, haar twee poten die in het gips zitten steken naar voren als iets wat gemummificeerd is, als een oud-Egyptisch idool. En ze hoort ook aanbeden te worden, denkt Albert, deze poes die alles begrijpt, maar nooit iets zegt.

'Ik vraag me af of Connie een vrouw is die je knuffelt. Zo klinkt ze wel. Ik bedoel, ondanks al haar problemen heeft ze duidelijk een goed hart.'

Gloria doet haar ogen dicht, zijn stem is kennelijk slaapverwekkend.

'Het is al heel lang geleden dat ik voor het laatst een knuffel heb gehad...'

Tegen de tijd dat Albert naar zijn werk wil gaan, vraagt hij zich bezorgd af of het vandaag De Dag zal zijn. Sterker nog, elke dag komt zijn pensionering dichterbij en stel dat hij voor die tijd nog niets van haar heeft gehoord? Daarna kan hij niet even aanwippen en de post doornemen. Dan is alle contact verbroken.

Die gedachte kwelt hem zo dat hij zich mentaal totaal niet heeft voorbereid op de mogelijkheid dat Max buiten staat te roken.

'O, o,' zegt Max, 'wie is er nu dood? Je kat toch niet, hoop ik? Want ik zou niet willen dat je de hele dag wegblijft terwijl er een lijk in je huis ligt te rotten. Dat trekt vliegen aan.'

'Mijn poes is gezond.'

'Natuurlijk is ze niet gezond, stomme oen. Ze heeft twee gebroken poten en haar hersens zijn niet groter dan een boontje.' Hij kijkt naar Albert, die met gebogen hoofd wegloopt. 'Zelfs je kat is een hopeloos geval. Je moet je maar eens afvragen wat dat over jou zegt.'

Nu het winter wordt, is het net alsof iemand een gat in de lucht heeft geslagen waardoor al het licht, alle warmte en alle kleur snel wegsijpelt. Het weer doet Albert denken aan onontkoombaarheid en verlies, het lijkt een meteorologische expressie van zijn ergste vrees.

Als hij eindelijk op zijn werk aankomt, voelt hij zich ellendig en heeft hij een wanhopige behoefte om met iemand te praten, met wie dan ook.

Hij komt Darren tegen die in het voorbijgaan vraagt: 'Hoe gaat het?' Hoewel hij kennelijk geen echt antwoord verwacht.

'Eerlijk gezegd maak ik me zorgen over een vriendin.'

Darren blijft staan. 'Sorry, wat zei je?'

'Ik maak me zorgen over een vriendin. Ik heb al een tijdje niets meer van haar gehoord.'

Darren voelt zich zichtbaar niet op zijn gemak door deze ontboezeming. Hij weet niet goed wat hij moet zeggen nu Albert zich niet houdt aan de gebruikelijke oppervlakkige manier van met elkaar omgaan. 'Nou, dan moet je haar misschien even bellen.'

'Ik heb haar telefoonnummer niet.'

'Dan moet je even naar haar toe of zo.'

'Ik eh... ik weet niet meer waar ze woont.'

Darren knikt. Eindelijk snapt hij het: Albert maakt zich geen zorgen over een vriendin, maar Albert is gek aan het worden. 'Ik wilde dat ik je kon helpen, echt, maar je weet hoe het is.' Hij tikt op zijn horloge en loopt snel door.

Albert zit de volgende vijf uur in zijn eentje met een paar zakken onbestelbare post en een klein raampje met tralies ervoor en grijze wolken erachter. Pas na de lunch komt een van zijn jongere collega's binnen met de onbestelbare post van die dag. Zelfs midden in de stapel ziet hij Carols brief meteen: de randen van het papier voelen warm aan, als een omhelzing voor zijn vingertoppen. Voordat de jongeman het vertrek zelfs maar heeft verlaten, schuift Albert alles opzij en kijkt naar Carols envelop. De smiley die erop staat is alles waar hij behoefte aan heeft op dit moment, die is alles wat deze dag en deze week niet zijn geweest.

Hij wil dit gevoel vasthouden en besluit de envelop niet meteen open te maken, maar ermee te wachten tot hij thuis is, zodat hij de rest van de dag kan genieten van een heerlijk voorgevoel.

38

Ik ben slecht. Dat had ik me al heel lang geleden moeten realiseren, hoewel ik het eigenlijk mijn hele leven al heb gedacht. Maar nu, nu ik achtendertig ben, is dit voor eens en voor altijd bevestigd. Het is net alsof ik al mijn tekortkomingen tot nu toe alleen op een slechte kwaliteit videoband heb gezien, maar er nu op blue-ray naar kijk, waardoor mijn afkeer van mezelf een totaal nieuw niveau heeft bereikt.

Dit is het probleem: mijn man (de vader van mijn dochter, de man met één bal) is net naar bed gegaan en volgens hem heeft hij griep. Ik zou hem moeten verzorgen. Ik bedoel, hij heeft misschien wel kanker! Ik zou er alles voor over moeten hebben – op water lopen en de doden tot leven wekken – om hem een goed gevoel te geven. Maar weet je? Het kan me niets schelen. Ik bedoel niet dat die kanker me niets kan schelen, want dat is wel zo, maar die griep van hem kan me echt niets schelen! Volgens mij heeft hij niet eens griep. Volgens mij heeft hij last van een soort ingewikkeld 'je moet echt medelijden met me hebben'-moment. Vindt hij die kanker niet genoeg of zo?

Het avondeten hielp ook niet echt. Sommige mensen schenken geld aan liefdadigheidsorganisaties om mensen zoals mijn man te helpen, en dan heb je mij (zijn vrouw!!!): ik geloof hem niet en kan hem niet meer zien!

Dus als ik geen slecht mens ben, weet ik het niet meer. Ik snap ook wel dat moord vele malen erger is, maar misschien begint het hier altijd mee, met een sluimerende afkeer van een man die onlangs een bal is kwijtgeraakt.

Het avondeten hielp dus ook niet echt. Ik wilde creatief zijn. Nee, dat is niet waar. Als ik creatief zeg, klinkt dat alsof ik iemand ben met artistieke pretenties. Eigenlijk probeerde ik iemand anders te zijn. Ik weet niet waarom ik denk dat dat beter is dan proberen creatief te zijn. Zie je nou, dat zegt volgens mij al alles wat je over mij zou moeten weten.

Ik neem aan dat ik min of meer op Nigella Lawson wilde lijken. In elk geval probeerde ik iemand te zijn die zich op haar gemak voelt met eten. Weet je, iemand die even in de keukenkast kijkt en iets verrassends kan maken van de dingen die ze daarin vindt. Dat deed ik dus, ik combineerde allerlei fantastische ingrediënten in de overtuiging dat ik zo niet alleen een verrukkelijke maaltijd zou creëren, maar ook mijn leven op een wonderbaarlijke manier zou veranderen. Dat het eenvoudige feit dat ik lekker eten zou klaarmaken van mij een andere vrouw zou maken en van mijn man een totaal andere man.

Dat is dus niet gelukt. En bovendien heb ik ontdekt dat kardemom en basilicum geen lekkere combinatie is. Vooral niet met citroenrasp. En venkelzaadjes blijven tussen je tanden zitten, vooral als je op taai en droog rundvlees zit te kauwen.

Ik moet het mijn man nageven, maar hij heeft geen enkele keer gezegd dat hij het niet lekker vond. Hij nam gewoon een paar hapjes en zei dat hij nooit op het idee zou zijn gekomen om deze smaken met elkaar te combineren. Ik ook niet, eerlijk gezegd. Ik dacht gewoon dat ik spontaan en zorgeloos was, hoewel ik achteraf gezien wel begrijp waarom Nigella Lawson dat recept niet heeft bedacht.

Wat ik wil zeggen is dat het me niet verbaast dat hij het niet lekker vond. Ik heb het klaargemaakt en zelfs ik vond het vies. Waar ik zo van baal is zijn reactie: hij prikte er een beetje in met zijn vork, nam een paar halfhartige hapjes en zat de hele tijd te snuiven. Ik zou het denk ik prettiger hebben gevonden als hij zijn bord door de kamer had gesmeten en misschien zelfs een paar dingen kapot had gegooid. Een goede ruzie is net een onweersbui, vind je ook niet? Die zuivert de atmosfeer. Ik zit weleens te dagdromen...

Carol stopt met schrijven, onzeker of ze wel het risico wil nemen dat haar meest intieme gedachten door een totale onbekende worden gelezen. Dan besluit ze dat het niet uitmaakt als die onbekende weet wie je bent en gaat verder met haar brief.

Ik zit weleens te dagdromen: dan ben ik de echtgenote van een lange, donkere Italiaan. Hij is natuurlijk ongelooflijk sexy en alles aan hem is groot, als je begrijpt wat ik bedoel. En hij is een hartstochtelijke, heetgebakerde man. Als we ruziemaken, wil hij me slaan, dat zie ik aan zijn blik. Maar dan denkt hij aan zijn moeder en aan de dorpspastoor, zodat hij alleen maar met dingen begint te gooien. De ingelijste foto's zijn als eerste aan de beurt, daarna het serviesgoed, bord na bord valt aan gruzelementen, terwijl ik achter hem sta te schreeuwen, zijn kleren in brand steek en ze op straat smijt (niets van dit alles is in financieel opzicht verstandig, dat begrijp ik wel, maar ik ga er maar van uit dat we meer dan genoeg geld hebben om alles te vervangen). Als we onszelf hebben uitgeput door al ons gegooi en geschreeuw, en het hele dorp voor ons huis staat te luisteren, neuken we als beesten, op elk oppervlak in het huis, niet in staat ermee op te houden tot we drijfnat zijn van het zweet en alles beurs en gevoelig is.

Maar ik denk dat ik nu te veel heb gezegd.

Tot zover,

C.

Albert legt de brief neer, zijn gezicht iets bleker dan eerst.

'Als ze op deze manier tegen een totale onbekende praat, vraag ik me af wat ze tegen haar vriendinnen zegt.' Hij kijkt naar Gloria, gegeneerd omdat hij deze brief heeft gelezen waar zij bij was. 'Misschien is het maar goed dat ik haar adres niet heb. Ik zou echt niet weten wat ik hierop zou moeten antwoorden.'

Hij brengt de brief naar het koekblik en legt hem er zorgvuldig in, met de smiley naar boven.

'Hoewel ik er natuurlijk niet op in zou hoeven gaan, toch? Ik zou gewoon iets kunnen schrijven over haar zieke man. Het is nooit prettig om te horen dat iemand zich niet goed voelt.'

Hij staat nu rechterop, alsof zijn lichaam in de wind staat en zich met lucht begint te vullen.

'Ik bedoel, ik kan haar natuurlijk niet antwoorden, maar ik kan natuurlijk wel een brief terugschrijven. En uiteindelijk komt dat bijna op hetzelfde neer, vind je ook niet? De meeste mensen luisteren toch niet als ik iets zeg, dus dan maakt het ook niets uit.'

Hij ziet dat Gloria naar hem kijkt.

'Nee, je hebt gelijk. Het is kinderachtig, hè?' Hij laat zijn schouders weer zakken. 'Connie mag brieven schrijven, want zij is een emotionele vrouw met een drankprobleem, en een levendige fantasie.' Hij bloost en probeert haar woorden uit zijn geheugen te bannen. 'Een vrouw als Connie schrijft, omdat ze alle hulp kan gebruiken die ze kan krijgen. Wij hoeven alleen maar te luisteren, toch?'

Maar zelfs Gloria merkt dat hij het zelf niet echt gelooft en dat hij met een bijna tastbaar gevoel van verlangen bij het geopende koekblik blijft staan.

39

Hij heet Ricky en het was duidelijk dat hij niet wist dat hij en Helen tijdens hun niet-afspraakje gezelschap zouden krijgen van een vriendin.

Nadat de eerste verbazing is verdwenen, denkt Carol te zien dat hij een opgewonden blik in zijn ogen krijgt; dat hij denkt dat dit misschien Helens bedekte manier is om een triootje voor te stellen. Niet dat Ricky eruitziet als iemand die ooit voor een triootje zou worden uitgenodigd, maar dat is misschien precies de reden dat hij zo opgewonden kijkt.

Carol vraagt zich af of ze over Bob moet beginnen, maar ze vermoedt dat Ricky dat alleen maar zou beschouwen als een bevestiging van het feit dat zij gewend zijn aan partnerruil te doen. Ze kan zich goed voorstellen dat hij dat allemaal te veel zal vinden.

Vreemd genoeg houdt Helen haar mond. Kennelijk denkt ze dat ze Ricky het beste kan leren kennen door naar hem te kijken terwijl hij met Carol zit te praten, en door hen beiden soms totaal te negeren.

Nu Helen niets zegt en Ricky zichtbaar verbaasd is, begint Carol vragen te stellen die meer aan een sollicitatiegesprek doen denken dan aan een gezellig samenzijn. 'Vertel eens, wat doe je voor werk?'

'Ik verkoop medische artikelen. Ik ga naar ziekenhuizen en verkoop ze van alles.'

'En vinden ze dat nuttig of beschouwen ze je eigenlijk als een soort verkoper van thermopane?'

'Nee,' zegt hij, zichtbaar gekwetst. 'Het zijn allemaal belangrijke dingen. En ze krijgen een goede prijs.' Hij kijkt even naar Helen, misschien om haar ook bij het gesprek te betrekken. 'Dus als je ooit een katheter of een stomazakje nodig hebt, moet je bij mij zijn.'

Op een schaal van één tot tien vindt Carol dit niet bepaald een geïnspireerd flirterig gesprek. 'Ben je al lang single?' vraagt ze op een toon die impliceert dat ze het antwoord al weet en dat het pijnlijk duidelijk is, niet alleen voor haar, maar ook voor ieder ander in het café, zelfs voor passerende motorrijders.

'Ja,' zegt hij, 'al een tijdje.'

Even hangt er een ongemakkelijke stilte en Ricky begint er terneergeslagen uit te zien. Helen neemt ondertussen slokjes van haar chai latte met sojamelk en is zich zo te zien niet bewust van het feit dat het hele afspraakje een mislukking dreigt te worden.

Carol ploetert verder: 'Dus, woon je hier in de buurt?'

'Nee, ik woon in Milton Keynes.'

Milton Keynes.

Carol zou hem willen vragen waarom hij bereid is tweeënhalf uur te rijden om iets niet-alcoholisch te drinken met een vrouw als Helen. Heeft hij nog geen foto's van haar gezien? Maar ze glimlacht beleefd. 'Ik ken Milton Keynes niet zo goed.'

'Het is er leuk.'

Dát is het dus! Een man die Milton Keynes leuk vindt, vindt Helen natuurlijk ook aantrekkelijk. Hoeveel Carol ook van haar vriendin houdt, ze weet dat Helen het romantische equivalent is van een karakterloze forensenstad; een stad die niet perfect is maar waar mensen genoegen mee nemen omdat ze de huizen daar kunnen betalen.

Dit werpt natuurlijk de vraag op wat voor soort stad Carol zelf is. Vroeger zou ze hebben gezegd dat ze een fabriek was die op de nominatielijst stond om gesloopt te worden. Sinds Bobs ziekte voelt ze zich meer een krater, de laatste rustplaats van een meteoor die al het leven tot duizenden kilometers in de omtrek heeft vernietigd.

'Carol?' zegt Helen. En dan weer, luider nu: 'Carol?'

Carol ziet dat Helen en Ricky haar aankijken met de bezorgde blik van mensen die naar iemand kijken die een psychotische aanval heeft. 'Sorry, ik was even heel ver weg met mijn gedachten.'

'Carol is een dromer,' zegt Helen met een zenuwachtig lachje.

'Daar heeft de wereld behoefte aan,' zegt Ricky.

'Dankjewel,' zegt Carol. 'Ik denk niet dat de wereld behoefte heeft aan nog meer vrouwen van middelbare leeftijd die naar de muur zitten te staren, maar het is aardig van je om dat te zeggen.'

Ze schieten allebei in de lach.

Carol kijkt naar hem, maar wendt snel haar blik af omdat ze zich ervan bewust is dat ze bloost.

'Je zat te flirten.'

'Echt niet.'

'Carol!'

'Ik ben getrouwd.'

'Met een man die je binnenkort wilt verlaten.'

'Ja, en het laatste waar ik behoefte aan heb is een nieuwe loser.'

'Geweldig. En als ik hem nu leuk vind?'

'Nee, luister, hij is aardig.'

'Voor een loser?'

'Ik bedoel alleen maar... hij woont in Milton Keynes!'

'Dus als hij bijvoorbeeld naar Wimbledon zou verhuizen, zou je met hem naar bed gaan?'

'Nee!'

'Ik zag dat je bloosde.'

'Dat was... zuiver hormonaal, daar kon ik niets aan doen.'

Ze lopen door het park. De bomen laten hun bladeren vallen in een laatste, heftige aanval van zelfvernietiging.

'Ik weet trouwens niet zeker of ik hem nog een keer wil zien,' zegt Helen. 'Het lijkt een beetje op zwemmen. Daar heb ik altijd zin in, tot ik bij het zwembad ben. Dan kijk ik naar het water en denk: Laat maar zitten!' Ze zucht zachtjes, alsof ze de lucht uit haar hoop laat ontsnappen. 'Misschien ben ik al te lang alleen. Ricky was aardig, maar het lijkt allemaal te veel moeite.'

'Je hebt zelf die advertentie geplaatst.'

'Dat klopt, maar nu denk ik dat ik liever een vibrator gebruik en de rest van mijn leven met rust gelaten wil worden.'

'Misschien zou je dat tegen Ricky moeten zeggen. "Ik vond het leuk je te leren kennen, maar ik geef de voorkeur aan het Duracell-konijn."'

'Misschien doe ik dat wel. Ik zie niet in waarom ik mijn leven om een man heen zou moeten organiseren.'

'Misschien omdat je seks wilt met iets wat jou daarna nog even kan knuffelen.'

'Maar dat hoeft toch geen man te zijn, wel?' Ze praat inmiddels tegen de grond, tegen de bomen en de dode bladeren die door de lucht worden geblazen; tegen alles behalve tegen Carol. 'Ik bedoel... we zouden geheime minnaars kunnen zijn. Jij en ik.' Ze voelt zich zo ongemakkelijk dat ze bijna over haar woorden, bijna over haar benen struikelt. 'Dat schijnt de hoogste vorm van de liefde bedrijven te zijn. Twee vrouwen, geen agressor.'

'Maar dan zouden we ons toch eerst tot elkaar aangetrokken moeten voelen?' Helen lijkt beledigd. 'Ik bedoel niet dat je niet aantrekkelijk bent, maar ik voel me nu eenmaal meer aangetrokken tot... ach, je weet wel... een lul.'

'Natuurlijk, ik wilde alleen maar...'

'Dat weet ik wel! En ik vind het geweldig dat je zoiets suggereert, echt waar! Ik bedoel, daar heb je immers een beste vriendin voor.' Ze is bang dat ze te veel nadruk legt op het woord 'vriendin', en haakt haar arm in die van Helen. 'En trouwens, moet je ons nou eens zien: we lijken nu al op een oud getrouwd stel.'

'Ik wil alleen maar dat je weet dat je daar nog steeds je geluk kunt vinden. Je hoeft Bob niet te verlaten.'

Carol lacht, ze denkt dat Helen een grapje maakt.

'Ik bedoel,' zegt Helen, 'je hoeft je gezinsleven niet kapot te maken...'

'Mijn bijzonder bevredigende gezinsleven.'

'... alleen maar om op zoek te gaan naar iets wat je misschien nooit zult vinden. Misschien is het beter om dankbaar te zijn voor wat je hebt.'

Carol laat Helens arm los en doet alsof ze haar sjaal goed moet doen.

'Bob houdt van je,' zegt Helen.

'O, alsjeblieft. Bobs enige definitie van liefde is regelmatige seks, hoewel hij als je daarvan uitgaat niet bepaald een liefdevolle relatie heeft.' Carol stopt haar handen in haar zakken en loopt door, zodat er een afstand tussen hen ontstaat. 'Jij hebt het altijd over de waarheid en over eerlijkheid. Hoe zit het dan met hoop? En optimisme?'

'Ik probeer gewoon realistisch te zijn. Soms is het beter om een compromis te sluiten...'

'Hou toch op.'

'Een compromis sluiten... het is beter te accepteren wat je hebt, dan de rest van je leven te zoeken naar iets wat je waarschijnlijk nooit zult vinden.'

40

Heb je ook weleens het gevoel dat niemand naar je luistert? Ik bedoel niet dat ze je negeren, maar dat ze niet echt naar je luisteren. Dat ze alleen maar horen wat ze willen horen.

Mijn beste vriendin (god, wat een puberale uitdrukking), 'mijn beste vriendin' heeft me net verteld dat ik beter af zou zijn als ik me neerleg bij een chronische, geestdodende teleurstelling dan wanneer ik het risico neem ervandoor te gaan, waardoor ik de dingen alleen maar erger kan maken. Heeft ze dan niet geluisterd naar wat ik de afgelopen tien of twintig jaar allemaal heb gezegd?

Je kunt op twee manieren naar haar advies kijken. Eén: ze is gedeprimeerd en projecteert haar gebrek aan hoop op mij. Als je haar kende, zou je weten dat dit heel goed mogelijk is.

Dus dat is één mogelijkheid. Maar het kan ook zijn dat ze alleen maar naar mijn leven tot nu toe kijkt en denkt dat het beter voor me is als ik niet nog meer beslissingen probeer te nemen. En dat begrijp ik best, want we moeten niet vergeten dat ik de vrouw ben die het een goed idee vond om te trouwen met een man van wie ze niet hield. Als ik een vriendin had zoals ik zou ik haar waarschijnlijk ook adviseren geen besluiten meer te nemen. Volgens mij zou het een opluchting zijn voor de mensheid als deze vrouw van middelbare leeftijd in Croydon op geen enkele manier in staat zou zijn alle leven op aarde te vernietigen. Ik zou voor iedereen een gevaar vormen.

Ik vind het fijn je te schrijven. Je neemt zwijgend alles wat ik zeg in je op, zonder interrupties, zonder geringschattende blik. Het gekke is dat ik het prima zou vinden als al mijn brieven ongelezen in een afvalbak zouden belanden. Voor het eerst in mijn leven heb ik begrip voor gelovige mensen. Zonder bewijs kan ik alles geloven wat ik wil geloven. En ik heb besloten om te geloven dat je alles leest wat ik schrijf. Je hoort me. Je begrijpt me. Je knikt zelfs goedkeurend en bloost ook af en toe.

Volgens mij schrijf ik nu omdat ik moe ben. Niet in de letterlijke zin van het woord, hoewel ik best even zou willen slapen. Ik ben er gewoon moe van om mezelf te zijn.

Het is net zoiets als autorijden. Voordat je rijles hebt genomen, lijkt het heel gemakkelijk allemaal. Maar dan zit je zelf achter het stuur en laat je drie weken lang steeds weer de motor afslaan. Nou ja, dat doe ik dus, maar dat doe ik al achtendertig jaar. Ik weet nog steeds niet hoe de koppeling van het leven werkt en nu wil ik stoppen, de sleutels teruggeven en iemand anders laten rijden.

Dat is het geloof van mijn moeder: een bus voor mensen die zijn opgehouden zelf te rijden, een bus met harde stoelen en vieze ramen, maar iedereen is zo gedemoraliseerd doordat ze zelf hebben geprobeerd een heuvel op te rijden en achteruit in te parkeren dat ze er allemaal van overtuigd zijn dat ze beter af zijn in deze bus.

Ik zit onzin uit te kramen, nietwaar? Wat een verrassing.

Mijn vader wilde niet dat ik ging trouwen, heb ik je dat al verteld? Ik bedoel niet dat hij wilde dat ik altijd single zou blijven, maar hij vond mijn toekomstige man gewoon een sukkel. Hij wist dat ik iets beters kon krijgen. En dat ondanks zijn vertroebelde blik nadat hij zijn hele leven zwaar had gedronken!

Drank is altijd een groot probleem voor hem geweest. Vreemd genoeg heb ik het idee dat nuchterheid mijn probleem is. Het is net alsof ik niet kan zeggen wat ik echt bedoel, tenzij mijn bewustzijn eerst vertroebeld is. Dat kan niets goeds betekenen.

Wil je iets weten wat niemand anders weet? Altijd als iemand een foto van me maakt, kruis ik mijn vingers. Dat zou ik een gewoonte willen noemen, maar dat is het niet. Een gewoonte is iets wat je doet zonder dat je je ervan bewust bent. Het is meer een soort ritueel, mijn manier om te zeggen: Ik ben meer dan je nu ziet – deze foto vertelt maar het halve verhaal. Ik denk dat ik eigenlijk wil zeggen: Ik besta – maar uiteraard alleen maar tegen mezelf. Voor zover ik weet, twijfelen andere mensen niet aan het feit dat ik besta. Ik ben de enige die het gevoel heeft dat ik een geest ben, alsof ik rondspook in het leven van andere mensen in plaats van dat ik mijn eigen leven leid.

Weet je? Laat ook maar... Wie zegt dat ik mijn man nu niet kan verlaten? En wie zegt dat hij zelf kanker heeft? Zijn linkerbal had kanker, maar die is nu weg. Die is inmiddels waarschijnlijk aan een kebabfabriek verkocht. Probleem opgelost.

Misschien praat ik nu zo door de wijn (ik heb maar vier glazen gedronken, hoewel dat er vier meer zijn dan ik had moeten drinken), maar ik ga het morgen tegen hem zeggen. Ik zou het hem nu wel willen vertellen, maar hij ligt boven te slapen (met koorts, hij blijkt dus echt griep te hebben. Oeps!). Ik ben wel gemeen, maar ook weer niet zo gemeen dat ik hem nu wakker maak alleen maar om te kunnen zeggen: 'Ik ga bij je weg.' Hij zou het toch niet echt snappen, want hij is nooit helder als hij net wakker is. Nog iets wat we aan zijn gebrekenlijstje kunnen toevoegen.

Voorlopig is het dus ons geheimpje. Alleen jij en ik weten het nu.

Ik zou je willen vragen wat jij ervan vindt, maar gelukkig heb ik het idee dat je mijn woorden alleen maar in je opneemt. Ik ben nog niet zo ver heen dat ik je stem denk te horen. (Eerlijk gezegd heb ik nooit begrepen waarom iedereen Jeanne d'Arc zo bewondert. Die vrouw was zeker weten compleet gestoord.)

We moeten eerlijk tegen onszelf zijn, vind je ook niet? Dat ben ik voor zover ik weet nog nooit geweest, meestal om belachelijke redenen. Maar we moeten eerlijk zijn als we niet gelukkig zijn met ons leven, want anders worden we... nou ja, zoals ik dus.

Iedereen heeft recht op een gelukkig leven. Dat is mijn recht. Jouw recht. Zelfs het recht van de man die ik boven kan horen snurken (wat ook betekent dat hij nu op zijn kussen ligt te kwijlen, nooit een prettig gezicht).

Ik vind je aardig, verdomme, en ik wil dat jij ook gelukkig bent. Je moet dus moedig zijn en meer eisen.

C.

Albert leest de laatste zin nog eens, en daarna nog een keer. De glimlach op zijn gezicht wordt ten slotte zo breed en is zo welgemeend dat zelfs Gloria begint te spinnen.

41

Het is meer dan afval. Op een bepaalde manier is het een bewijs van het solitaire leven van een eenzame oude man. En de vuilniszak waar het allemaal in zit, is maar heel dun. Toen Albert deze zakken in de supermarkt zag, leek de kwaliteit goed, maar pas toen hij thuiskwam zag hij dat hij ze eigenlijk net zo goed kon weggooien – waarschijnlijk in een sterkere, duurdere vuilniszak.

Albert is zich ervan bewust dat de zak elk moment kan scheuren en loopt langzaam langs Max' flat. De man zelf is nergens te zien, er hangt alleen een kwaadaardige sfeer, een dodelijke wolk radioactiviteit. Hij hoeft zich niet te haasten, want hij heeft nog alle tijd om naar zijn werk te gaan.

Hij is al vlak bij de stortkoker als de liftdeuren opengaan en Max met zijn ochtendkrant de lift uitstapt. 'Waarom sluip jij hier rond?' brult hij.

Albert krimpt in elkaar.

De zak scheurt.

Iedereen die de inhoud ziet wegwaaien, zou meteen zien dat Albert last heeft van bepaalde medische problemen. De rest wijst op een dieet dat niet zozeer uit voedsel bestaat als wel uit voedselachtige substanties, allemaal geconserveerd en boordevol suiker.

'Heb je een probleempje met je darmen?' vraagt Max en hij geeft een trap tegen een lege tube Preparation-H. 'Beetje last van verstopping? Smeerlap die je bent. Hoewel, het is beter dat je het jezelf aandoet in plaats van de een of andere jonge knul.'

Hij blijft kijken als Albert zijn afval opraapt, terwijl de wind zijn kleren doet opwaaien.

'En zo te zien eet je niet echt gezonde dingen.' Een plastic verpakking met synthetische room eraan vliegt over de balustrade en vervolgens over de daken van Londen. 'Gaf je je vrouw die rotzooi ook te eten? Geen wonder dat ze dood is.'

Deze woorden komen zo hard aan dat Albert niet eens merkt dat Max doorloopt en de tranen die in zijn ogen springen, kunnen natuurlijk ook door de koude wind zijn veroorzaakt.

Hij moet moeite doen rechtop te staan, hij voelt zich ouder en stijver dan ooit. Er ligt nog steeds afval op de grond, maar dit is Zuid-Londen: niemand zal dat een probleem vinden.

Albert is niet in staat ver te lopen en schuifelt naar het trappenhuis. Daar gaat hij op een van de smerige treden zitten. Alle muren zijn beklad met opeenvolgende generaties kwade kreten, zodat hij hier eigenlijk getuige is van de evolutie van de samenleving – van de onstuimige tijd toen 'Sloop de Scholen' als subversiever werd beschouwd dan de meer recente 'Dood aan alle homo's' en 'Rot op vuile nikkers'. Albert probeert ze niet te lezen, maar dat is moeilijk. Hij moet ergens naar kijken, want anders wordt hij gek. Als hij zijn ogen dichtdoet, ziet hij alleen maar de ochtend waarop alles is veranderd; de ochtend dat hij wakker werd en zag dat zijn vrouw dood naast hem lag. En, dwars door zijn herinnering heen, het geluid van Max' minachtende stem; het enige in zijn leven wat de jaren onveranderd heeft overleefd.

Hij hoort dat Max zijn planten water geeft. Gelukkig zal hij op een dag als vandaag, met die koude wind, niet lang buiten blijven rondhangen.

Albert begrijpt nog steeds niet hoe een man als Max van planten kan genieten; hoe iemand die zo onaardig is de behoefte kan hebben iets te verzorgen. Alsof Hitler het fijn vond om puppy's te aaien of altijd moest huilen wanneer hij naar herhalingen van *Lassie* keek.

De dreun van Max' voordeur onderbreekt zijn gedachten. Albert staat snel op, omzichtig, en kijkt naar de galerij. Niemand te zien. Op zijn tenen loopt Albert naar zijn flat, maakt zo geruisloos mogelijk zijn voordeur open en doet hem zo zachtjes weer dicht dat zelfs Gloria het niet lijkt te merken.

Albert weet dat het geen zin heeft zich ziek te melden. Juist vandaag wil hij niet horen dat Darren impliciet zegt dat hij onbelangrijk en nutteloos is. 'Ja, blijf maar thuis zo lang als nodig is. Je aanwezigheid hier is toch zinloos.'

Hij wil de kleren van zijn vrouw uit de kledingkast halen, ze aanraken, ze vasthouden, maar dat kan hij zichzelf niet aandoen. Niet weer. De tijdelijke opluchting is niets vergeleken met de pijn die daarop volgt; het besef dat het enige wat nog over is van een liefhebbende vrouw een paar versleten kledingstukken zijn die alleen nog maar naar ouderdom en verval ruiken.

Daarom loopt hij naar het koekblik en haalt Connies brieven eruit. Hij kijkt ernaar, hij leest ze niet, maar verliest zichzelf in haar handschrift, naar het omhoog en weer neergaan van haar pen, naar de individuele punten en krullen, stuk voor stuk een soort nauw contact: een zachte aanraking, een warme omhelzing, een liefdevol afscheid.

Hij komt bij de laatste regel van haar meest recente brief en zijn blik wordt nu naar de woorden zelf getrokken. 'Ik vind je aardig, verdomme, en ik wil dat jij ook gelukkig bent. Je moet dus moedig zijn en meer eisen!'

En dan gebeurt het.

Achteraf gezien zal Albert het beschouwen als een soort goddelijke openbaring, maar nu schaamt hij zich bijna omdat hij dat denkt. Het is zo slinks, zo achterbaks, zo... slecht.

Hij kijkt naar Gloria, in de hoop dat ze hem met een afkeurende blik zal aankijken. Ze knippert en begint te spinnen.

Dat is een teken.

Een postbode krijgt een oog voor de gewoonten van mensen, voor de regelmaat waarmee mensen bepaalde dingen doen. Een van de dingen waardoor Max 's avonds zo'n lastpak is, is het feit dat hij na de lunch graag een of twee glazen bier drinkt.

En daarom wacht Albert, voor de tweede keer vandaag, tot Max zijn voorspelbare gedrag zal vertonen. Maar deze keer is het een opbeurende sensatie. De jager en de prooi hebben eindelijk elkaars rol overgenomen.

Zelfs nadat hij heeft gehoord dat Max weggaat, wacht hij nog eens tien tot vijftien minuten voor het geval Max iets is vergeten. Daarna, met bonzend hart, doet hij wat hij al heel vaak heeft gedaan. Hij gaat naar de supermarkt.

Het lijkt de caissière niet te verbazen dat Albert zes grote flessen bleekmiddel koopt. Maar de kans is groot dat het haar niet eens opvalt.

Albert kijkt naar haar terwijl zij ze langs de scanner haalt; het is een mollige jonge vrouw die zich beweegt met de elegantie van een slecht gemaakte machine.

'Het wordt koud buiten,' zegt hij, in de hoop dat hij haar dag een beetje kan opvrolijken, dat hij haar kan helpen de moed te vinden terug te vechten tegen het systeem. Ze kijkt hem heel even aan, maar voordat hij naar haar kan glimlachen, richt ze haar aandacht alweer op de traag bewegende lopende band – een passend symbool voor haar leven, een bijna faustiaans verloop van een eindeloze ellende.

Albert denkt hieraan als hij met de boodschappentassen naar huis loopt. Dat meisje had geen behoefte aan onbelangrijke kletspraatjes en ze wilde al helemaal niet worden herinnerd aan de wereld buiten – dat is net zoiets als naar de dierentuin gaan en tegen de pinguïns zeggen dat Antarctica overgewaardeerd is. 'Weet je, je bent veel beter af nu je hier gevangenzit en op beton leeft dat onder de stront zit.'

Nee, wat hij had moeten doen was als een liefhebbende ouder even een kneepje in haar hand geven en heel rustig tegen haar zeggen: 'Je moet moedig zijn. Je moet meer eisen.'

42

Carols dag verloopt niet lekker. Het goede nieuws was dat Bob zich voor het eerst sinds dagen beter voelde toen hij wakker werd; zonder koorts, zonder pijntjes. Het slechte nieuws was dat zijn tumor misschien is uitgezaaid en dat zijn specialist zo snel mogelijk nog meer onderzoeken wil doen.

Carol hoort dit indirect, na dat telefoontje. Hij zit verkrampt en lijkbleek in de woonkamer, met de telefoon nog steeds in zijn hand.

'Het komt wel goed,' zegt ze en ze gaat naast hem zitten. 'We slaan ons hier samen doorheen. Jij en ik.'

Het blijft lang stil. Dan zegt Bob: 'Ik wil een feest geven.'

'Wat?'

'Ik wil een feest geven. Je weet wel, een laatste uitspatting.'

'Bob, je doet net alsof je doodgaat.' Hij krimpt zichtbaar in elkaar als ze dat zegt. 'Sorry. Ik bedoel, ik kan me wel een beter moment voorstellen voor een feest.'

'Maar als uit die onderzoeken blijkt dat het is uitgezaaid, wordt alles anders. Ik bedoel, dan moet ik chemo en...'

'Bob, daar hoef je nu nog niet aan te denken.'

'Dan weet iedereen het.'

'Het is ook helemaal niet erg om het te vertellen.'

'Nee! Niemand mag het weten.'

'Luister, ik begrijp hoe je je voelt...'

'O, dus jij hebt nu ook kanker?'

'Nou, nee...'

'Dan weet je dus ook niet hoe ik me voel, oké? Ik wil een feest.'

Carol besluit dat dit niet het juiste moment is om ruzie te maken. 'Goed, dan geven we een feest.'

'Vanavond.'

'Bob!'

'Ik heb niet veel tijd meer.'

'Maar het is al bijna drie uur!'

'Zoveel hoef je toch niet te doen? We trekken een paar zakken chips open en gooien wat nootjes in een kom. Verder hebben we heel veel drank nodig, en dat is geen probleem.'

'En mensen, Bob. De meeste mensen vinden het niet prettig als ze pas op het allerlaatste moment worden uitgenodigd.'

'Ik vraag me af of Helen dat vindt.'

'Ik nodig Helen niet uit.' Ze zegt dat zo kortaf dat zelfs Bob wantrouwig kijkt. 'Als ik Helen uitnodig, ontdekt ze misschien wat er aan de hand is. Daar is ze heel goed in.'

Hij lijkt haar te geloven. 'Nou, al onze andere vrienden zijn ook zielige losers. Ze hebben vast niets te doen vanavond en dit zijn ze me wel verschuldigd.'

'Alleen als je hun vertelt wat er aan de hand is.'

'Er is niets te vertellen.'

'Natuurlijk wel, je hebt kanker!'

In de verbijsterde stilte die hierop volgt, probeert Carol zich voor te stellen hoe Moeder Teresa of prinses Diana deze situatie zouden hebben aangepakt. Waarschijnlijk niet door tegen de kankerpatiënt te gaan schreeuwen. Ze dwingt zichzelf om met haar liefste, meest bemoedigende stem te zeggen: 'Daar heb je vrienden voor, Bob. Mensen kunnen je hier niet mee helpen als je hun daar niet de kans voor geeft.'

Hij lijkt over haar woorden na te denken, zodat ze even denkt dat hij zich heeft laten overhalen. Maar dan schudt hij zijn hoofd. 'Nee,' zegt hij. 'Niemand mag het weten.'

Zelfs volgens Bobs en Carols maatstaven is het feest een mislukking. Precies zoals Carol had verwacht, voelt niemand zich verplicht op stel en sprong naar Bobs onverwachte feest te komen, op een doordeweekse dag in een moeilijk bereikbaar deel van Croydon. Dat er wel een paar mensen zijn gekomen is op zich al opmerkelijk, ware het niet dat het stuk voor stuk ongelofelijke losers zijn. Bobs moeder is er, maar ze zou er net zo goed niet kunnen zijn. Ze is toch al erg op zichzelf gericht en vanavond doet ze regelmatig een aanval op de Pringles, waarna ze zich terugtrekt in een rustig hoekje of in een totaal ander deel van het huis, zodat ze alles in alle rust kan opeten. Carols ouders zijn er ook, hoewel dat natuurlijk geen verrassing is, omdat het enige alternatief is om thuis te blijven en met de pest in hun lijf naar elkaar te zitten kijken. En waarom zou je dat doen in de privacy van je eigen huis als het veel fijner is om dat in het openbaar te doen?

De andere gasten zijn voornamelijk collega's van Bob; dus geen vrienden, maar eerder een soort ruimteschroot. 'Heb je ook Johnnie Walker?'

vraagt een van hen, terwijl hij een grote beker rode wijn inschenkt.

Carol ziet dat hij de hele beker leegdrinkt en hem dan nog eens volschenkt. 'Sorry, nee.'

Hij houdt de wijnfles omhoog die al halfleeg is. 'In dat geval hou ik deze maar bij me, als je het goedvindt.'

Hoewel het al donker is buiten, draagt een andere collega van Bob een zonnebril als hij binnenkomt; misschien als voorzorgsmaatregel tegen de paparazzi of om de aandacht af te leiden van zijn wijkende haarlijn en grote roosprobleem. Zijn gezicht licht op als hij Carol ziet. 'Hé hallo!' zegt hij en hij maakt een zwierige buiging die misplaatst lijkt in deze wijk. 'Dát is lang geleden.' Hij drukt haar stevig tegen zich aan, waardoor ze zijn half stijve penis tegen haar bovenbeen voelt drukken.

Carol probeert de juiste woorden te vinden, maar uiteindelijk geeft ze het op en wijst naar de tafel met hapjes. 'Alsjeblieft, ga je gang.'

Als ze naar de mensen in hun woonkamer kijkt, bekruipt haar de drang het huis af te sluiten en in brand te steken, zodat ze in één klap van hen af is. In gedachten hoort ze hen schreeuwen en krijsen als ze op de ramen en deuren bonzen. Ze stelt zich voor dat ze langzaam maar zeker stil worden door de dikke, giftige rook; dat het huis één grote vuurzee wordt; dat niets meer herinnert aan de mensen die zich in het huis bevonden, behalve de vage geur van verkoold vlees. Dat is zo'n verleidelijk beeld dat ze het meteen zou doen als het mogelijk was. Maar de logistiek... Een slecht feestje is gemakkelijk te organiseren, maar voor een massamoord is een langere voorbereidingstijd nodig.

Ze kijkt naar Bob, het geweldige brein achter deze slow motion tragedie. Hoeveel zin hij ook had in dit feestje, toch doet hij geen enkele moeite zich onder zijn gasten te begeven. Hij blijft bij de tafel met drank staan, drinkt met kleine, snelle slokjes een bierflesje leeg en doet feitelijk niet meer dan een beetje naar zijn gasten knikken. Carol ziet dat hij zichzelf dwingt iets te zeggen als zijn moeder even binnenkomt om een nieuwe aanval op een van de tafels te doen, maar ze heeft geen idee wat ze tegen elkaar zouden moeten zeggen. Ze hebben geen echt goede band, dus misschien snauwen ze elkaar wel af. Zo van: 'Ik hoop dat je erin stikt, stomme trut die je bent!'

Carol doet wat ze altijd doet in dit soort situaties: ze houdt zichzelf bezig door te zorgen voor hun gasten, die ze eigenlijk dood zou wensen. Als ze een grote kom vol schept met pastasalade vraagt ze zich af wat er nu van haar moet worden. Bob verlangde naar dit feestje als een soort stilte voor de storm, een feestelijk moment voordat zijn ziekte mogelijk een aanval op zijn lichaam doet, maar als dit het zilveren randje is, hoeft ze de wolken niet te zien. Ze loopt met de kom naar de eettafel. 'Er is nog meer salade,' zegt ze, tegen niemand in het bijzonder.

'Heb je hier wel zout in gedaan?' vraagt haar moeder. 'Die andere salade was ontzettend flauw.' Haar moeder loopt naar haar toe met de zelfverzekerdheid van iemand die op goede voet staat met God. 'Maar ondanks de hapjes ben ik blij dat we hier weer zijn. Ik geloofde echt dat we nooit meer zouden worden uitgenodigd.'

'Tja, zo zie je maar,' snauwt Carol, 'alweer een geloof dat anders uitpakte dan je dacht.'

Ze loopt snel weer naar de veiligheid van de keuken, maar realiseert zich heel goed dat de avond een mislukking is. Vanaf het moment dat Bob over dit feestje is begonnen, was het al duidelijk dat het op een ramp zou uitdraaien. Toch had Carol zichzelf wijsgemaakt dat zij zelf niet een van de slachtoffers zou zijn, hoogstens een toeschouwer.

Deirdre verschijnt in de deuropening en duwt moeizaam de rolstoel van haar man over de ruwe vloerbedekking.

'Wat doe je nou?' vraagt Carol.

'Even met onze dochter kletsen. Waarom zouden we hier anders zijn?'

Carol vindt dat haar moeder al jaren, misschien zelfs al tientallen jaren niet meer zo'n verstandige opmerking heeft gemaakt. Wat zou je hier anders kunnen doen? Een gesprek aanknopen met de chronisch vervloekten? Mislukte hapjes eten? En je kunt al helemaal niet met Bob over zijn kanker praten.

'Dat is lief gedacht,' zegt Carol, 'maar dit is niet echt een goed moment voor een gezellig praatje.'

'Niet alles draait alleen maar om jou, weet je.'

Eindelijk is ze erin geslaagd de rolstoel de keuken in te rijden, waardoor Carol meteen een aanval van claustrofobie krijgt.

'Ik bedoel,' zegt Carol, 'dat ik nu even heel veel aan mijn hoofd heb.'

'Tja, dat krijg je als je je van God afwendt.'

'O, natuurlijk, daarom ben jij zo gelukkig.'

Heel even kijkt haar vader alsof hij het liefst in een loopgraaf zou willen duiken. Hij zit klem, in een oorlogsgebied, en de uitdrukking op zijn gezicht zegt alles: de eerste schoten zijn afgevuurd en er is nu geen weg meer terug.

'Jij bent een van de minst gelukkige mensen die ik ken,' zegt Carol, terwijl haar stem bij elk woord hoger wordt. 'Ik zie niet in waarom dat een aanbeveling zou zijn voor jouw religieuze overtuigingen.'

'De weg van de waarheid is een weg van lijden.'

'Maar zonet zei je dat het een weg van geluk is.'

'Dat is allebei waar.'
'Ha! Zo kun je dus niet verliezen, wel?'
'Ik ben niet degene die kwaad wordt.'
'Ik word alleen maar kwaad omdat... omdat je een nare vrouw bent die zich al haar hele leven verschuilt achter een giftig dogma...' – haar moeder stormt de keuken uit, maar Carol rent achter haar aan de hal in – '... en dat alleen maar omdat je te laf bent om je leven te leven en gelukkig te zijn!'
Ze realiseert zich dat de andere gasten nu naar haar kijken, met hun plastic bekertje halverwege hun mond.
Carol loopt terug naar de keuken, waar haar vader probeert iets te zeggen. Zijn woorden komen in een onverstaanbaar gemurmel uit zijn mond. Voor hetzelfde geld probeert hij iets ontzettend belangrijks te zeggen – de liefste, tederste woorden die hij ooit zal zeggen – maar ze raken verloren in een wirwar van afstervende grijze massa, en verdwalen onderweg in zijn zieke hoofd.
Deirdre komt terug, met een ijzige blik op haar gezicht en haar jas losjes over haar schouders geslagen. 'We gaan.' Ze zegt het tegen zijn achterhoofd en negeert Carol volledig.
Terwijl ze de rolstoel met veel moeite de keuken uit rijdt, kijken Carol en haar vader elkaar aan; twee mensen die weten wat het betekent om machteloos te zijn.

43

Dit is iets nieuws voor Albert. Hij is natuurlijk weleens eerder laat opgebleven, maar alleen als hij werd gekweld door gevoelens van spijt en verlies. Maar vanavond is het anders. Hij zit in het licht van een enkele lamp, de rest van de kamer is in duisternis gehuld, en hij geniet van de stilte, van het gevoel van verwachting. Hij hoort de gebruikelijke achtergrondgeluiden van de stad – het geluid van Zuid-Londen dat brandt en naar de hel gaat – maar dat verhoogt het gevoel van de stilte binnenshuis alleen maar.

Als het al middernacht is geweest, glimlacht hij even naar Gloria. 'Het is tijd...'

Met een fles bleekmiddel in de hand loopt hij heel behoedzaam naar de voordeur, trekt hem zachtjes open en gaat naar buiten. Het is koud vannacht. Hij loopt op kousenvoeten naar Max' planten en schenkt het bleekmiddel in de potten.

Heel even voelt hij zich schuldig als de aarde in de eerste pot de vloeistof in zich opneemt. Achter hem blijven de gordijnen voor Max' ramen dicht en donker. 'Het is niet persoonlijk, hoor,' fluistert hij tegen de plant. 'Je gaat ergens naartoe waar het beter is.'

Hij had verwacht dat de plant meteen slap zou gaan hangen, maar hij ziet geen enkel verschil. Hij is teleurgesteld – en voelt zich een beetje schuldig omdat hij iets levends wil zien sterven – en schenkt de fles leeg in de tweede en derde pot. Dan loopt hij op zijn tenen naar zijn huis om nog meer flessen te halen.

Tegen de tijd dat de derde fles leeg is, vindt hij het eigenlijk wel een rustgevende actie. Nu hij hier zo staat en de planten voorzichtig met bleekmiddel begiet, begrijpt hij opeens waarom Max zijn balkontuin zo leuk vindt.

Hij is zo diep in gedachten dat hij niet hoort dat de lift op zijn verdieping stil blijft staan. Pas als de liftdeuren opengaan en hij door het licht wordt beschenen, kijkt hij op.

In de lift staat een stelletje elkaar zo heftig te zoenen dat het bijna gewelddadig aandoet. Albert ziet dat het meisje, veel jonger dan de man, blindelings probeert het juiste knopje te pakken te krijgen. Ze geeft het op, doet één oog open en geeft er met een gebalde vuist een stomp tegen. In de fractie van een seconde waarin de liftdeuren weer dichtgaan, kijken zij en Albert elkaar vol onbegrip aan: hij de planten bleekwater gevend en zij met haar benen om een man geslagen die twee keer zo oud is als zij. Even later zijn de liftdeuren dicht en zijn ze weer verdwenen.

Het is één uur 's nachts en Albert weet zeker dat hij nooit meer zal kunnen slapen, nooit meer zal wíllen slapen. Nu zijn missie is volbracht en hij weer veilig in zijn eigen huis is, dringt tot hem door wat hij gedaan heeft en komt hij tot het angstaanjagende, opwindende inzicht dat hij het nooit meer ongedaan kan maken.

Hij heeft de lege bleekmiddelflessen al in de afvalkoker gegooid en zijn vieze sokken onder in de wasmand gelegd. Het verbaast hem hoe gemakkelijk hij dit heeft kunnen doen, deze geheime operatie. Hij zou het heel graag aan iemand willen vertellen.

44

Lieve Connie,

Ik wil je bedanken voor je brieven; ik vond het fijn om ze te lezen. Ze hebben mijn leven op een onverwachte manier opgevrolijkt.

Hij twijfelt welke woorden hij moet gebruiken. Het is niet waar dat hij het fijn vond om ze allemaal te lezen. Die ene waarin ze dronken en agressief was, heeft hij bijvoorbeeld weggegooid. En als hij schrijft dat ze zijn leven op een onverwachte manier heeft opgevrolijkt, is hij bang dat dit een beetje wellustig klinkt. Vooral omdat zij de helft van de tijd haar seksuele prestaties en fantasieën heeft beschreven.

'Wat zou ik schrijven als ik haar vader was?' vraagt hij hardop.

Maar deze manier van denken helpt ook niet echt, vooral niet omdat ze al deze dingen nooit en te nimmer aan haar vader zou hebben geschreven. En als ze dat wel had gedaan, zou ze waarschijnlijk een keiharde klap in haar gezicht hebben gekregen en geen bedankbrief.

Hij besluit dat hij er maar gewoon niet te veel over na moet denken en gaat verder met schrijven.

Vooral je laatste brief heeft me geïnspireerd. Ik denk dat ik een bange oude man was geworden. Ik ben nog steeds een oude man, maar je woorden hebben me geholpen moediger te zijn. Daar wil ik je voor bedanken.

Toen ik in het leger zat...

Hij streept deze zin door, kijkt ernaar, en daarna verfrommelt hij het papier tot een bal.

Gloria kijkt naar hem als hij het papier even later uit elkaar haalt en op het tafelblad gladstrijkt.

'Dat kan ik toch nog als boodschappenlijstje gebruiken? Zonde om het weg te gooien.'

Hij legt het verkreukelde vel papier aan de kant en pakt een nieuwe.

Lieve Connie,

Ik wil niet zo'n oude man zijn die over de oorlog praat en daarom doe ik dat ook niet. Eerlijk gezegd ben ik nog niet oud genoeg om over de oorlog te kunnen praten. Ik ben in 1946 geboren, bijna negen maanden na de dag waarop er een einde aan de oorlog is gekomen. Eenmaal raden hoe mijn ouders de overwinning hebben gevierd.

Hij stopt met schrijven, geschrokken van het feit dat hij zo open kan zijn.

'Ik word al net zo erg als zij.' Toch voelt het goed, dat hij zich vrij voelt om dingen te zeggen die hij nooit tegen iemand anders zou zeggen.

Ook al ben ik niet oud genoeg, toch kun je volgens mij wel zeggen dat ik meer gemeen heb met de oorlogsjaren dan met de wereld van vandaag. Toen was het leven anders. Je denkt waarschijnlijk dat ik gek ben, omdat ik op zo'n manier over de oorlog praat. Dat is het probleem, neem ik aan. Of de wereld is gek geworden, of ik.

Ik wil dat je weet dat je brieven een ongelofelijk verschil hebben gemaakt voor een eenzame oude man. Enkele brieven waren naar mijn smaak een beetje te gewaagd, maar het gaat erom hoe we diep vanbinnen zijn en niet wat we hebben gedaan.

Hij twijfelt ook over deze alinea. Het klinkt wijs en vaderlijk, en dat is ook de bedoeling. Het geeft hem ook een beter gevoel over dat hij zojuist Max' tuin heeft vermoord. Met een beginnend gevoel van absolutie schrijft hij verder.

Ik wist niet eens dat ik eenzaam was, tot ik je brieven kreeg. Je vindt het misschien raar dat iemand daar dankbaar voor is, maar het heeft me wakker geschud. Hierdoor heb ik me gerealiseerd wat ik was geworden. Weet je, mijn vrouw is bijna veertig jaar geleden overleden en een deel van mij is toen ook doodgedaan.

Zijn ogen worden vochtig, maar hij gaat door met schrijven.

Als je iemand van wie je houdt verliest

De eerste traan valt op de brief. Hij stopt met schrijven en veegt zijn wangen onhandig droog met de rug van zijn hand.

'Verman je, Albert.'

Hij kijkt naar Gloria en schaamt zich omdat ze hem heeft zien huilen. 'Maak je maar geen zorgen, het gaat nu wel weer.'

Om de een of andere vreemde reden heeft het feit dat jij niet van je man houdt me eraan herinnerd hoeveel ik van mijn vrouw hield. Dat schept een bepaalde band, vind je ook niet? Jij hebt nooit zo'n huwelijk gehad, en ik ben het mijne kwijtgeraakt. Twee verschillende paden hebben ons naar dezelfde plek geleid.

Toen ze nog leefde, heb ik mijn vrouw beloofd dat ik nooit ergens anders de nacht zou doorbrengen en aan die belofte houd ik mij nog steeds. Ik heb haar kussen nog en houd het elke nacht dicht bij me.

Op dat kussen is ze gestorven

Weer komen de tranen, sneller en meer. Deze keer schrijft hij door, zelfs als ze op de brief vallen en de inkt uitloopt.

en ze ging totaal onverwacht dood, dat was het probleem. Ze is nooit ziek geweest, nooit ernstig in elk geval. Ze was zo jong en zo vol leven, we hadden nog zoveel plannen. Weet je, we hielden van elkaar, heel erg veel. En toen was ze dood, zomaar. Haar hart hield op met kloppen terwijl ze lag te slapen. De dokter heeft me verteld dat het een vredige dood was en ik denk dat hij wel gelijk had. Ik had haar in mijn armen, weet je. Ik zou het hebben geweten als ze pijn had gehad. Dat zou ik hebben geweten.

Ik heb haar kussen dus nog en wat kleren, een paar dingen maar, maar tegenwoordig vind ik het niet prettig meer om ernaar te kijken. Het helpt niets, weet je. Daardoor krijg ik haar niet terug, het zorgt er alleen maar voor dat ik weer terugdenk aan die tijd. Aan die tijd waarin ik haar in de steek heb gelaten. Ik hield haar in mijn armen en heb haar niet kunnen redden. Daar voel ik me nog altijd schuldig over. Al veertig jaar. Ik zeg natuurlijk wel tegen mezelf dat ik niets had kunnen doen, maar dat weet ik niet, begrijp je dat? Ik zal het nooit zeker weten.

En er is iets waar ik me heel erg voor schaam...

Hij schrikt, hij kan de woorden bijna niet opschrijven.

... ik kan me haar stem niet meer herinneren. Ik hield meer van deze vrouw dan van mijn eigen leven en toch kan ik me haar stem niet meer herinneren! Ik weet alleen nog dat haar stem me gelukkig maakte, elke keer dat ik hem hoorde.

45

Het zou niet juist zijn om te zeggen dat het bergafwaarts ging met het feest na het vertrek van Carols moeder, want het gebeuren bevond zich al veel eerder in een vrije val. Het vertrek van Carols woedende moeder en haar vader was wel het moment van de impact, toen ze zich abrupt bewust werden van de traagheid van hun zielige, ellendige levens. Vanaf dat moment leek het alsof de overgebleven gasten zich schaamden dat ze hier waren – alsof ze zich pas realiseerden hoe tragisch hun eigen leven was doordat ze naar de mensen om zich heen keken – waarna ze een voor een vertrokken.

Het moet gezegd worden, maar Bob leek niet onder de indruk van het drama. Waarschijnlijk troostte hij zich met de gedachte dat de realiteit van de anderen niet veel beter was dan zijn eigen innerlijke chaos. Niet lang nadat de laatste gast was vertrokken, ging hij naar bed, te dronken om iets anders te doen, zodat Carol de rest van de avond in haar eentje doorbracht.

Zelfs nu de scheidslijn tussen heel laat en heel vroeg onduidelijk is, wil ze niet gaan slapen. Ze wil niets doen waardoor ze het begin van een nieuwe dag bespoedigt. Ze blijft liever beneden in een stil huis, te midden van vieze bordjes en plastic bekertjes met restjes wijn erin. Ze gaat op zoek naar de laptop die ze vorig jaar kerst van Bob heeft gekregen. Het was de bedoeling dat ze daardoor in de eenentwintigste eeuw zou worden gesleurd, dat ze in contact zou komen met oude vrienden die ze dan altijd zou kunnen e-mailen, maar dat was niet gebeurd. Ze had niet voor niets geen contact meer met haar oude vrienden, en van wie zou ze een e-mail moeten krijgen? Ze heeft een verstoorde relatie met Bob en Sophie, maar ze praten in elk geval nog met elkaar. Helen zou nog eerder rooksignalen sturen dan een e-mail, en verder heeft ze immers niemand? Net als in het echte leven zou Mandy hoogstens goed zijn voor spam en Carols collega's zouden het systeem alleen maar misbruiken om zichzelf waardevoller te voelen; ze zouden avonden en weekenden gebruiken om te praten over hun werk dat zelfs tijdens kantooruren niet echt belangrijk is.

Bob vindt dat het cadeau een vergissing was, maar dat is niet helemaal waar. Carol beschouwt het als een opslagplaats, een plek waar ze herinneringen kan bewaren uit het zicht van spiedende blikken. Dat heeft ze natuurlijk niet aan Bob verteld, waardoor de laptop onopzettelijk het symbool is geworden van de kloof die tussen hen bestaat: het is niet alleen zo dat hij haar niet begrijpt, nee, hij kent haar niet eens!

Als het beeldscherm tot leven komt, voelt ze zich opeens schuldig. Ze staat op het punt een herinnering op te rakelen die ze veel beter zou kunnen laten rusten, maar ze kan zich niet langer beheersen...

46

Ik heb zijn foto nog altijd. Had ik dat al eens verteld? Het hoort natuurlijk niet, dat weet ik wel, maar ja... Ik kijk er niet vaak naar. Mijn man weet het natuurlijk niet. Eigenlijk is het wel ironisch dat ik de laptop die hij me heeft gegeven gebruik om een foto te bewaren van de man met wie ik hem heb bedrogen. Hoewel 'bedrogen' niet het goede woord is, toch? 'Bedrogen' impliceert dat ik mijn man op dat moment aan het lijntje hield, en dat is niet zo. Ik zei niet elke dag tegen hem dat ik van hem hield. Ik praatte nooit over onze toekomst samen. We waren gewoon getrouwd, we voedden samen ons kind op, maar mijn hart lag altijd bij Richard.

Ze stopt met schrijven en kijkt naar Richards foto op het scherm. Het is niet echt een goede foto, maar dit is het enige wat ze nog heeft van die tijd en dat is genoeg. Hij lijkt nog altijd even jong en fris als die eerste keer, zijn huid strak en stevig onder haar vingers, tussen haar benen.

Ik moet het verleden laten rusten, maar een groot deel van mij geeft de voorkeur aan vroeger boven nu. Het was niet alleen Richard, ik was het ook: het leven leek toen vol beloftes, ik geloofde nog steeds in mogelijkheden en dromen en een gelukkig einde. Misschien mis ik Richard niet, maar mezelf.

En dan kijk ik in zijn ogen en dan weet ik wat ik echt mis: ons.

Ze wordt gestoord door het geluid van autoportieren die worden dichtgeslagen. Even later hoort ze dronken, hoog gegiechel.

Carol trekt de gordijnen een stukje open en ziet dat haar overburen van de vlaggenmast met feesthoedjes op hun hoofd door hun tuin zwalken.

Ze ziet dat de vrouw een sigaret in haar mondhoek heeft hangen en probeert haar beha uit te doen. Ze is aan het draaien en aan het trekken, en ondertussen laat haar man de vlag zakken, terwijl hij elke paar seconden even pauzeert om een slok mousserende wijn te nemen.

De vrouw zoekt steun tegen hun grote en dure auto met vierwielaandrijving en trekt haar beha uit. Ze pakt de wijnfles van haar man af en begint gulzig te drinken, terwijl haar man de vlag omruilt voor haar beha en die omhoog begint te hijsen.

Omdat het niet hard waait, is het niet goed te zien dat de slappe en zijden lap stof die boven in de vlaggenmast hangt een beha is. Maar voor het echtpaar is dit duidelijk het hoogtepunt van hun avond. Ze liggen in een deuk en vallen bijna om van het lachen.

Carol kijkt fronsend naar het lachende stel – op dit moment kan ze twee plaatsen verzinnen waar ze die vlaggenmast in zou willen steken – en toch is ze wel jaloers op het feit dat een getrouwd stel zoveel lol heeft. Als ze op een koude, doordeweekse avond in Croydon zoveel plezier kunnen maken, wat zullen ze dan wel niet doen als ze op vakantie zijn? En wat is Carol zelf eigenlijk? Een ongelukkige huisvrouw die midden in de nacht haar buren bespioneert.

'Ik lijk op mijn moeder,' mompelt ze.

Ze loopt bij het raam vandaan en neemt zich voor om haar buren nooit en dan ook nooit meer te veroordelen. Waarom zouden ze niet in opschepperige auto's mogen rijden en een vlaggenmast in hun tuin mogen zetten? Is dat erger dan de dingen die zij ooit heeft gedaan?

Ze heeft behoefte aan meer drank om deze zelfbeschouwing te verzachten en loopt naar de keuken waar ze een glas wijn inschenkt.

'In Afrika gaan kinderen dood,' zegt ze tegen zichzelf. 'Het zou zonde zijn dit weg te gooien.' Met het glas in haar hand wil ze teruglopen naar de woonkamer, maar dan ziet ze dat Sophie naar haar kijkt. 'Shit!' schreeuwt ze. Ze schrikt zo erg dat ze bijna haar glas laat vallen. 'Ik heb je niet binnen horen komen.'

'Ik dacht dat iedereen nu wel zou slapen.' Er klinkt kritiek door in haar stem, alsof het feit dat Carol wakker is een indicatie is voor een soort diepere pathologie.

'We hebben een feestje gegeven.'

'Waarom?'

Carol probeert een geschikt antwoord te bedenken, maar door de drank is het moeilijker om een leugen te verzinnen. 'Ach, waarom niet? Het was gewoon een kans om oude vrienden weer te zien.'

Sophie is duidelijk niet tevreden met dit antwoord en loopt weg.

Carol drinkt haar wijn op, schenkt nog eens in en schreeuwt tussen twee slokken door door de muur heen: 'Wat heb jij vanavond gedaan?'

'Ik heb Rebecca geholpen met haar natuurkunde.'

Natuurlijk, denkt Carol. Wat zou een meisje van zeventien anders doen om drie uur 's nachts?

Even vraagt ze zich af hoe het zou zijn als Sophie in tranen was thuisgekomen met een hysterisch verhaal over een mislukte vrijpartij, verschillende misschien wel, waardoor ze nu bang was dat ze een soa had opgelopen en zwanger was.

'Wie is dat?' vraagt Sophie.

Carol vliegt de keuken uit en ziet dat Sophie naar het beeldscherm staat te kijken met een nieuwsgierige en wantrouwige blik.

'O, niemand, gewoon een oude vriend.'

'Hoe "oud"?'

'O, een jaar of twee na de universiteit. Hij heet Richard.' Nu ze dit hardop zegt, wordt haar herinnering nieuw leven ingeblazen en krijgt ze een glimlach op haar gezicht. 'We hebben jaren geleden samengewerkt. Hij is een paar maanden later vertrokken, maar we... we hebben contact gehouden.'

Dit is zo'n opluchting, deze bedekte eerlijkheid, dat ze meer wil vertellen, veel meer. In gedachten vertelt ze dat Sophie hem zelfs een keer heeft ontmoet, op een dag die zo gelukkig en zo perfect was dat het net was alsof er nooit meer iets verkeerd zou gaan in haar leven.

Ze kijkt naar het vel briefpapier, dat gelukkig op de kop ligt. 'Ik was hem net een brief aan het schrijven...'

'Daar heb je die computer toch voor?'

'Ach, ik ben een beetje ouderwets, ben ik bang.' Eindelijk heeft ze iets geloofwaardigs gezegd.

Sophie kijkt nog een keer naar de foto en gaat dan naar bed. Ze loopt naar boven, onhoorbaar als een geboren roofdier.

Mijn dochter heeft zojuist zijn foto gezien. Als je het hebt over dingen-die-een-moeder-niet-hoort-te-doen is dit net zoiets als haar een snuifje coke geven. Niet dat ik aan de cocaïne ben, hoor, hoewel het me niet zou verbazen als je dat dacht. Dat zou in elk geval heel veel verklaren.

Ze stond gewoon naar mijn intiemste geheim te kijken. Dat had het ultieme moeder-dochtermoment kunnen zijn. Ik denk dat ik dat zelfs wel had gewild. Maar toen was het ook alweer voorbij.

Ach, ik denk eigenlijk dat ze niet zou willen weten dat ik van die man ben gaan houden. Dat we neukten met de hartstocht van ware zielsverwanten. Maar misschien had ze wel willen weten waarom ik dan bij haar vader ben gebleven. Ze zou het vast en zeker leuk vinden om te horen dat ik daar altijd spijt van heb gehad. Ze vindt het leuk om mijn fouten te horen.

Ik zou je nog veel meer over die avond kunnen vertellen... Een rampzalig feest (maar nu had ik gelukkig een goed excuus om meer te drinken dan normaal)... En nu hebben onze overburen een beha aan hun vlaggenmast hangen. Ik weet niet wat ik schokkender vind, dat er tegenover mijn huis ondergoed wappert of dat er een vlaggenmast staat. Ik bedoel, een vlaggenmast? Wie zet er nu een vlaggenmast in zijn tuin? Als het oorlog was, zou ik het misschien kunnen begrijpen, maar zelfs dan... Een vlaggenmast is toch iets wat een invallend leger en laagvliegende bommenwerpers als baken gebruiken? Ik zou hier misschien ook moeten opmerken dat een vlaggenmast normaal gesproken niet wordt gebruikt om ondergoed mee in top te hijsen. Meestal wappert de Union Jack in de wind, waardoor we allemaal een vaderlandslievend gevoel behoren te krijgen. Maar die vlaggenmast geeft me niet bepaald een vaderlandslievend gevoel, hoewel ik me wel Britser zal voelen zodra dat rotding boven op hun auto valt.

Nu is het dus echt zo: onze doodlopende straat (jeetje, wat heb ik de pest aan dat woord) kan onmogelijk nog lager zinken!

Maar wat nog belangrijker is, is de vraag waarom ik hier eigenlijk woon. Ik ben ervan overtuigd dat dit iets betekent...

Vanuit de hel.

C.

47

Albert loopt nog in zijn ochtendjas door zijn flat als Max' eerste ontstelde kreet het gebouw laat trillen.

Hij trekt wat kleren aan en rent naar buiten, waar Max naar zijn balkontuin staat te kijken, met vochtige en opgezwollen ogen.

'Kijk toch eens wat die klootzakken met mijn planten hebben gedaan.' Hij wijst naar de rijen potten, stuk voor stuk minislagvelden, een massagraf van witte stengels en vergiftigde aarde. 'Ze hebben er zoveel bleekmiddel op gegooid dat ze allemaal dood zijn. Zelfs zoveel water zou dat resultaat hebben gehad, maar bleekmiddel...' Hij veegt een traan weg, vermijdt oogcontact met Albert. 'Die planten waren alles wat ik had.'

Albert wil zeggen dat dit niet helemaal waar is. Hij heeft nog altijd zijn vrouw, zijn breedbeeld-tv – een paar maanden geleden heeft hij gezien dat die werd bezorgd – en bovendien een enorme collectie platen van Engelbert Humperdinck waar hij heel gek op is. Vergeleken met Albert heeft Max heel veel; dat is altijd het probleem geweest.

Toch is dit niet de Max die nu naast hem staat. Deze Max is een echt mens, kwetsbaar en emotioneel, bijna vertederend in zijn wanhoop.

Albert geeft hem een klopje op de schouder, iets wat hij nooit verwacht had ooit te zullen doen. Hij heeft er vaak van gedroomd Max een kaakstomp te geven, hem over de balustrade te smijten, hem zelfs achterna te zitten met een samoeraizwaard, maar hem troosten, nooit! 'Ik kan je wel helpen een nieuwe balkontuin aan te leggen,' zegt hij. 'Als we dat samen doen, is het zo klaar.'

Max lijkt dit aanbod in overweging te nemen, hij huilt niet meer, hij snikt alleen nog maar. Hij snuit zijn neus. 'En waarom zou ik jouw hulp willen, verdomme? Alsof het nog niet genoeg is dat die... die geniepige klootzakken alles kapot hebben gemaakt.' Hij tilt een van de bloempotten op en smijt hem weg, terwijl hij luidkeels roept: 'Verdomde klootzakken!'

Zijn stem echoot over de daken terwijl de pot door de lucht zeilt en zes verdiepingen lager op de grond terechtkomt. Hij pakt nog een pot en smijt die ook weg. 'Horen jullie me?' schreeuwt hij. 'Stelletje kloterige

hufters die jullie zijn.' Hij bukt zich om een nieuwe pot te pakken.
'Volgens mij kun je dat beter niet doen, Max.'
'Sodemieter op!'
Hij smijt de pot over de rand en voordat die de grond zelfs maar raakt, smijt hij er nog twee achteraan.
Omdat hij verder toch niets kan doen, loopt Albert terug naar zijn flat. Zelfs nu de voordeur dicht is, kan hij het geschreeuw van Max nog horen en in de verte hoort hij de explosies van de stenen potten op het beton.
'Jullie kunnen allemaal de pot op, horen jullie me? Als ik erachter kom wie dit heeft gedaan, vermoord ik jullie verdomme allemaal!'

48

Tegen de tijd dat Carol wakker wordt, hangt de Union Jack weer aan de vlaggenmast, alsof er niets is gebeurd. Ze kijkt ernaar vanuit haar slaapkamer en vraagt zich af of ze dat van die beha heeft verzonnen, of ze alles van gisteravond misschien heeft verzonnen. Haar kater versterkt haar indruk dat ze de greep op de realiteit een beetje kwijt is geraakt.

De gebeurtenissen van de vorige avond – haar moeder die woedend is vertrokken, haar dochter die de foto van Richard heeft gezien, haar man die vredig in slaap viel zelfs nu zijn lichaam zichzelf aan het vernietigen is – lijken meer op de scènes uit een film dan op haar eigen leven. En hoe zou die film eindigen? vraagt ze zich af. Een gelukkig einde lijkt niet erg waarschijnlijk, niet nu de film al bijna afgelopen is. De kans is groter dat de wereld zoals zij die kennen onvermijdelijk op een ramp afkoerst. Een komeetinslag zou te willekeurig zijn, een te groot toeval, maar een verdwijngat kan misschien wel. Ja, dat is het! Een groot verdwijngat graaft stiekem de grond onder hun voeten weg, dus zelfs als ze door blijven ploeteren met hun leven van alledag – ruziemakend en liegend en stiekem van elkaar walgend – is de wereld zoals zij die kennen letterlijk aan het verdwijnen; worden de seconden afgeteld tot de aarde hen allemaal heeft opgeslokt en de hele doodlopende straat is verdwenen. De laatste scène van de film zal net lang genoeg zijn voor het oorverdovende gebulder om weg te sterven tot een doordringende, intense stilte. Met een intensiteit die in hun gewone leven nooit is voorgekomen. En daarna begint de aftiteling over het scherm te rollen.

Vanuit de beschutting van Carols slaapkamer lijkt het niet alleen plausibel, maar ook absoluut mogelijk dat haar wereld binnenkort zal verdwijnen, dat iets in de diepte, onzichtbaar, alles dreigt te vernietigen.

Dan hoort ze de doffe klap van de voordeur die dichtslaat. Even later loopt Sophie bij het huis vandaan, met een tas vol zware boeken die ze aan het einde van de dag waarschijnlijk uit het hoofd zal kennen.

De auto staat nog steeds op de oprit en dat kan alleen maar betekenen dat Bob beneden zit te eten of *World of Warcraft* speelt, of – nog waarschijnlijker – allebei tegelijk.

Hij zal straks weggaan voor nog meer onderzoeken – alweer alleen naar het ziekenhuis gaan – hoewel Carol zichzelf ervan probeert te overtuigen dat dit niet hetzelfde is als dierproeven: de verpleegkundigen zullen geen shampoo in zijn ogen wrijven of hem injecteren met onkruidverdelger. Maar ze zullen hem vriendelijk betuttelen en hem de aandacht geven waar hij al jaren naar verlangt. Doordat hij kanker heeft gekregen, heeft zijn inwendige hypochondrische ik eindelijk de hoofdprijs gewonnen. Dat zal hem wel een heel tevreden gevoel geven.

Bob is zo verdiept in zijn computerspel dat hij amper merkt dat Carol de woonkamer binnenkomt.

Haar ongekamde haren en haar oude ochtendjas geven aan dat het haar allemaal niets meer kan schelen. 'Hoe lang ben je al op?' vraagt ze, en ze gaat op zoek naar haar mobieltje.

'Een uur of twee.' Hij kijkt niet op als hij dit zegt, maar blijft geconcentreerd naar het beeldscherm kijken. 'Ik dacht dat ik je maar moest laten liggen.'

Carol bekijkt de gemiste oproepen. Twee van Helen – ze gaat haar écht niet gauw terugbellen – en eentje van haar moeder. Waarom zíj heeft gebeld, is wel duidelijk: natuurlijk niet om haar excuses aan te bieden, zelfs niet om erover te praten, maar om net te doen alsof er niets gebeurd is; om de herinnering aan gisteravond te bedekken met het gebruikelijke onbelangrijke gesprek over koetjes en kalfjes. Dat heeft ze altijd al gedaan, ze begraaft pijnlijke dingen, terwijl ze ze stiekem bewaart als munitie voor toekomstig gebruik. Feitelijk is dat het probleem met hun relatie: hun verleden bestaat uit deze verborgen wapens, waardoor hun relatie meer wegheeft van een gijzeling dan van een familieband. Daardoor heeft Carol als ze in dezelfde kamer is als haar moeder altijd het gevoel dat iedereen elk moment kan sterven.

'Ga je niet naar je werk vandaag?' vraagt Bob.

'God, daar heb ik geen seconde aan gedacht.' Ze kijkt naar haar ochtendjas alsof dat een fysieke conditie is in plaats van een kledingstuk. 'Ik meld me wel ziek.'

'Alles gaat kapot, hè?' Het klinkt niet alsof hij zich daar druk over maakt, hij lijkt zich niet eens bewust van de diepzinnigheid van zijn opmerking. 'Ons leven zoals het was, is voorbij. Zomaar.'

Dood

49

Nu Albert al over een kleine week met pensioen gaat, weet hij maar één ding: hij moet Connie vinden. De kans dat hij hierin slaagt is buitengewoon klein, maar als het hem niet lukt, zal hij de rest van zijn leven naar een oud koekblik met vijf brieven erin zitten staren. Gloria houdt hem wel bezig, maar hij moet er rekening mee houden dat ook zij binnen een paar jaar dood zal zijn. En zodra haar poten uit het gips zijn, is het heel goed mogelijk dat ze weer een keer probeert uit het raam te springen. Albert houdt heel veel van haar, maar als ze dood is, is hij weer alleen.

Dankzij Connie heeft hij ingezien dat het goed is als je meer wilt in je leven, en het eerste wat hij wil is haar.

Hij weet dat de brieven in Croydon zijn gepost. Als hij ervan uitgaat dat ze daar ook woont – en haar brieven bevatten voldoende verwijzingen naar Croydon die suggereren dat dit inderdaad het geval is – dan beperkt dat de kans om haar te vinden van één op tien miljoen tot... nou ja, veel minder in elk geval.

Mickey komt binnen met een beterschapskaart. 'Wil je deze even tekenen?' vraagt hij. 'Hij is voor Chris.'

'Wat mankeert hem?'

'Hij heeft zijn been gebroken tijdens het skateboarden.'

Albert vouwt de kaart open en schrijft een berichtje: *Je verdiende loon, stomme klojo die je bent.*

'Weet je het al van je surpriseparty volgende week? Indiaas eten,' zegt Mickey met een grijns. 'Ik heb de pest aan Indiaas eten.'

'Niemand heeft me gevraagd of ik daar wel van hou.'

'Nee, dat is toch logisch? Het is een verrassing. Hoe dan ook, het is Darrens favoriete restaurant.'

'Maar het is mijn feestje.'

'En hij is de baas. Ik bedoel, het is toch mooi meegenomen, toch? Net zoiets als een auto van de zaak, maar dan een curry.' Hij kijkt naar de kaart en slaakt een zucht. 'Ik moet ervandoor. Gary moet hem ook nog tekenen. Hoewel die stomme klojo waarschijnlijk niet eens weet hoe hij dat moet doen. Hij masturbeert een beetje te veel, dat is het probleem.'

Hij zwijgt even, denkt kennelijk even vanuit een ander gezichtspunt over dit onderwerp na. 'Hoe gaat dat als je oud wordt? Speel je dan nog steeds zo vaak met jezelf?'

Albert besluit hem te negeren. 'Zeg, ik wil je iets vragen. Hoeveel mensen wonen er volgens jou in Croydon?'

Zoiets moet je natuurlijk niet aan Mickey vragen, dat weet Albert ook wel. Je zou hem ook kunnen vragen of er in de riolen van Londen aliens wonen of dat Tony Blair ooit van achteren is genomen. Mickey beschouwt zichzelf als een autoriteit op deze gebieden – het stelt hem waarschijnlijk teleur dat CNN en de BBC de weg naar zijn voordeur nog niet hebben gevonden – maar een gewone vraag met een kwantificeerbaar antwoord is een andere zaak.

'Dat weet ik niet,' zegt hij, na een lange pauze. 'Twintig miljoen of zo?'

Albert begrijpt dat hij net zo goed had kunnen vragen hoeveel mensen er in Calcutta wonen, of waar Atlantis ligt. 'Ik denk dat je maar even naar Gary moet gaan,' zegt hij.

'Waarom? Denk je dat hij het weet?'

'Voor de kaart.'

'O ja...' Hij loopt weg en kijkt naar de kaart alsof hij niet meer weet wat hij daar ook alweer mee moet doen.

Albert gaat ervan uit dat Mickey helemaal niets weet, en besluit dat er waarschijnlijk een paar honderdduizend mensen in Croydon wonen, in elk geval minder dan een half miljoen. En zo wordt de hooiberg elke minuut kleiner. 'In dit tempo heb ik haar zo gevonden.'

'Wat zei je, Albert?'

Albert draait zich om en ziet dat Darren op zijn gebruikelijke drukke manier binnenkomt.

'Niets,' zegt Albert. 'Ik had het tegen mezelf.'

Darren lijkt niet verbaasd, verwachtte het misschien zelfs. 'Wat was er gisteren aan de hand?' vraagt hij. 'Zeg niet dat ik zo vlak voor je pensioen je loon moet inhouden...'

'Ik was hier, zoals altijd.' Hij kijkt Darren strak aan, onverstoorbaar. 'Misschien was ik even naar het toilet.'

'Maar ik ben hier vier keer geweest.'

'Dat is het probleem als je ouder wordt. Alles wordt slapper en daar heb je je maar bij neer te leggen.'

Hij ziet Darren achteruitdeinzen.

'Er zijn dagen,' zegt hij, 'dat het net water lijkt en soms...'

'Het is al goed, Albert. Bespaar me de details alsjeblieft.' Hij kijkt op zijn horloge. 'Nou, als alles in orde is...'

'Je hebt een vergadering.'

Darren kijkt verbaasd. Hij is er niet aan gewend dat Albert zich zo gedraagt. 'Je moet weten,' zegt hij, 'dat we overwegen iets bijzonders te doen op je laatste werkdag. Niet veel, dat begrijp je, met al die bezuinigingen en zo. Een pot thee, misschien een paar broodjes en gebak.' Hij glimlacht en geniet zichtbaar van zijn trucje. 'Ik wil gewoon even weten of je dat goedvindt.'

'Thee en gebak lijken me prima. Van iets anders moet ik vreselijke winden laten.'

Darren glimlacht stijfjes en denkt ongetwijfeld aan de vele manieren waarop Albert zijn gezellige avondje uit kan verpesten. 'Nou, dat is dan afgesproken, oké?'

Die zaterdag begint Albert met zijn zoekactie. Hij heeft niet veel aanknopingspunten, maar Connie heeft een paar keer gezegd dat ze in een woonwijk woont. Ze schijnt het maar een armzalige wijk te vinden, maar Albert vindt dat het best chic klinkt. Zeker als er vlaggenmasten staan. Het feit dat mensen die ergens neer kunnen zetten, geeft al aan dat ze in goeden doen zijn. En als die 's nachts niet worden gejat, moet het wel een betere wijk zijn dan waar hij woont.

In Croydon duurt het even voordat hij een geschikte makelaar heeft gevonden. Ze kijken allemaal naar hem, terwijl hij net doet alsof hij in de etalage naar de te koop staande huizen kijkt. Voor zover hij kan zien, is zijn uiteindelijke keuze ideaal: de enige persoon die hier werkt, is een vrouw van middelbare leeftijd die er wanhopig uitziet. Dus staat ze waarschijnlijk open voor elke afleiding, zelfs voor iemand als Albert.

Als hij naar binnen stapt, zegt hij zo opgewekt mogelijk: 'Hallo, ik eh... ik wil een huis kopen.'

De vrouw was rechtop gaan zitten toen hij binnenkwam, misschien om een oude verdwaalde man de weg te wijzen, maar nu kijkt ze verbijsterd. 'Verkoopt u uw huidige woning ook?' vraagt ze.

'Nee, nee, ik wil alleen een huis kopen. Kan dat via u?'

'U hebt uw huis dus al verkocht?' Ze kijkt naar zijn Royal Mail-jas. 'En wilt u het huis contant betalen?'

'Nou nee... Ik dacht dat ik wel een hypotheek zou kunnen krijgen.' Hij glimlacht tegen haar en wijst naar het logo op zijn jas. 'Zoals u kunt zien, heb ik een goede baan.'

Hij weet niet of ze medelijden met hem heeft of gewoon zin heeft in een beetje afleiding, maar ze vraagt hem met een brede glimlach: 'Hebt u al een bepaalde wijk in gedachten?'

'Ik dacht aan een leuke woonwijk, waar gezinnen wonen.'

Ze heet Marjorie en ze vindt het helemaal niet leuk om makelaar te zijn. 'Ik had verwacht dat ik elke week wel een paar huizen zou verkopen,' zegt ze met een diepe zucht. 'Ik had verwacht dat ik op deze manier gemakkelijk geld kon verdienen.'

'Gemakkelijk geld'; die uitdrukking heeft Albert nog nooit gebruikt. Het klinkt verkwistend, roekeloos, de tweelingbroer van 'een kleine schuld'. Toch ziet Marjorie er niet verkwistend of roekeloos uit. Ze bezit niets van die opschepperige opzichtigheid die Albert met zo iemand associeert. Ze lijkt juist een beetje versleten langs de randen, zoals een oud vloerkleed dat zijn beste tijd heeft gehad, dat er twintig jaar geleden prima uitzag, zelfs voor de tijd dat iedereen opeens op golf- en voetbalschoenen rond ging lopen, voordat de kat erop kotste en de hond zijn territorium erop afbakende.

'Eerlijk gezegd vind ik het wel leuk om even naar buiten te gaan,' zegt ze. Ze doet de deur op slot en steekt een sigaret op. 'Misschien zou ik het minder erg vinden als ik op kantoor mocht roken. Maar dat is natuurlijk wettelijk verboden.' Verbolgen neemt ze een lange trek aan haar sigaret. 'En ik ben natuurlijk niet de enige makelaar in de stad. Als iemand niet van sigarettenrook houdt, gaat hij naar iemand anders toe. Dáár had ik me in moeten specialiseren, ik had de vrouw kunnen zijn die rokers helpt met het vinden van een nieuwe woning. Je moet immers opvallen in deze branche. Het is net zoiets als zwemmen met piranha's, iedereen vecht om een enkel kikkervisje.'

'De zaken gaan dus niet zo goed?'

Marjorie snuift en neemt weer een lange trek van haar sigaret, alsof ze geen andere keus meer heeft dan jong te sterven. 'Mijn timing was heel erg verkeerd natuurlijk. Ik ben hier begonnen, net toen de markt instortte. Je hoort al die stomkoppen op de tv zeggen dat je juist in een recessie een huis moet kopen, maar wat dan? Wie gaat zijn huis verkopen als de prijzen zo laag zijn?'

Ze leidt Albert naar een kleine parkeerplaats. Helemaal achteraan staan een gedeukte Astra en een Range Rover naast elkaar. 'Drie keer raden welke auto van mij is.'

'Nou, ik hoop dat dit hem is,' zegt Albert en hij wijst naar de Astra. 'Ik denk niet dat ik zonder trapje in die andere kan komen.'

'Dat is waar, maar je hebt misschien een lier nodig om uit die van mij te komen.' Ze loopt voor hem uit en veegt kleren en lege bierblikjes van de voorstoel. 'Ik woon niet in mijn auto, hoor, ook al lijkt het wel zo. Nog niet in elk geval.'

Albert heeft nooit zelf een auto gehad, maar zelfs zijn ongetrainde oor kan horen dat Marjories Astra binnenkort alleen nog maar geschikt zal zijn om in te slapen. De motor doet hem denken aan het geluid dat een grasmaaier maakt als er een steentje tussen de messen zit, en de hele auto rammelt alsof hij meer door geluk dan door techniek bij elkaar wordt gehouden. Toch bestuurt Marjorie de auto als een verdedigingswapen; ze slalomt om elke andere auto op straat heen alsof de dood haar op de hielen zit. Ze zegt niets tijdens het rijden, ze lijkt zich zelfs niet eens meer van Alberts aanwezigheid bewust; ze kijkt slechts strak voor zich uit met de focus van een kamikazepiloot. Ze begint pas weer te praten als ze een grote woonwijk inrijden. 'Moet je dit zien!' zegt ze vol walging. 'Het lijkt Legoland wel. En hiervoor word je opgescheept met een gigantische hypotheek en levenslange ellende.'

Als dit haar standaardverkooppraatje is, denkt Albert, is het geen wonder dat ze weinig huizen verkoopt. Hij vindt dat de huizen er juist heel leuk uitzien: gezellig, niet klein. Elke voordeur is in een lichte, vrolijke kleur geschilderd, en op geen enkele voordeur zit zo'n zwaar ijzeren raamwerk als in zijn eigen wijk.

Opeens remt Marjorie. Ze houdt het stuur krampachtig vast en parkeert de auto voor een klein rijtjeshuis. 'Dit is hem,' zegt ze.

Albert kijkt omhoog naar de ramen, kaal en leeg vergeleken met die van de buren aan weerszijden. Daardoor ziet het huis er zielig en incompleet uit; een gevoel dat Albert wel kent.

'Wat een leuk huis, vind je niet?' zegt hij, meer tegen zichzelf dan tegen Marjorie.

'Wil je jezelf even binnenlaten? Ik moet echt even roken, en van die nicotinenazi's mag ik dat natuurlijk niet binnen doen.'

Ze geeft hem een sleutel en duwt hem de auto uit. Een paar seconden later verdwijnt ze in een wolk sigarettenrook, terwijl Albert door het voortuintje loopt – groot genoeg voor een tuinstoel en een draagbare radio, dus voor alles wat een man nodig heeft – en uiteindelijk steekt hij de sleutel in het slot. Hij heeft hem amper rondgedraaid als de deur al openzwaait. De scharnieren zijn kennelijk goed geolied. Albert wordt nu al overmand door de soort liefde die mensen eigenlijk alleen maar voelen voor een pasgeboren kleinkind, en stapt naar binnen, verbaasd over hoe mooi het allemaal is.

Hoewel deze dag natuurlijk alleen maar om Connie zou moeten draaien, kan hij nu niet aan haar denken, niet nu hij naar deze keuken kijkt die zijn vrouw prachtig zou hebben gevonden. Hij is groter dan zijn eigen keuken en heeft bij elkaar passende keukenkastjes; zo'n mooie keuken heeft hij nog nooit gezien. 'Ik wilde dat ik jou zo'n keuken had kunnen geven,' zegt hij zacht. 'Zoiets had je in onze tijd nog niet, hè?'

Hij kijkt even in de koelkast, een gigantische witte ruimte. 'We hadden ons als konijnen moeten voortplanten om zo'n grote koelkast te kunnen vullen. Niet dat jij daar nee tegen zou hebben gezegd, ondeugende meid.'

Hij loopt naar de woonkamer en ziet openslaande deuren naar een kleine tuin, waarvan het grasveldje aan drie kanten wordt omzoomd door lege bloemperken en een hoge houten schutting. 'Kijk toch eens,' zegt hij, vol bewondering. 'Hier zouden we onze eigen groenten kunnen telen en dan zou er ook nog genoeg plaats zijn voor je rozen. Dat wilde je toch altijd, rozen rondom de deuropening. En misschien een Albertje die met zijn tinnen soldaatjes zit te spelen...' Hij kan zich goed voorstellen dat ze enthousiast zou zijn over deze tuin – als ze niet al in katzwijm was gevallen nadat ze de keuken had gezien – en door die gedachte is het net alsof ze hier ook is. Kon hij hier maar blijven staan en dit moment vasthouden, dan zouden ze nooit meer van elkaar gescheiden zijn.

Marjorie komt de kamer binnen en verstoort de stilte met een rokershoestje. 'Verdomde sigaretten,' hijgt ze. 'Ik zou moeten stoppen, maar wat blijft er dan nog over?' Ze slaat een paar keer op haar borst en het lijkt alsof daardoor wat slijm loskomt. 'En, wat vindt u van dit huis?'

'Het is schitterend.'

'Kijk, dat hoor ik graag. De prijs is ook goed. Hoewel, over een jaar zul je dat niemand meer horen zeggen, want dan is het waarschijnlijk dertig procent minder waard. Hebt u al boven gekeken?'

'Dat is niet nodig, denk ik.'

'Ik dacht dat het huis u beviel?'

'Dat is ook zo, maar... Ik ben niet helemaal eerlijk tegen u geweest, want eigenlijk kan ik nu niet verhuizen.'

Omdat Marjorie de hele ochtend al een teleurgestelde blik op haar gezicht heeft gehad, en dat dit waarschijnlijk haar hele leven al zo is, is er geen zichtbare reactie. 'Nou, dat kan ik u niet kwalijk nemen,' zegt ze, en ze slaakt een zucht. 'Je moet wel niet goed snik zijn om tegenwoordig nog een huis te kopen. Dat is alleen maar een enkele reis naar Ellendeland.' Ze vist haar sleutels uit haar handtas. 'Zal ik u dan maar terugbrengen naar de stad?'

'Dat hoeft niet,' zegt hij, iets te snel. Hij is geen statisticus, maar nu ze de reis hier naartoe hebben overleefd, is de kans volgens hem heel klein dat ze ook de terugweg zullen overleven. 'Ik heb wel zin om hier wat rond te lopen en de buurt een beetje te verkennen.'

'Maar hier is niets te zien. Hier staan alleen maar heel veel slechte huizen vol gedeprimeerde mensen.' Ze wacht, kennelijk in de hoop dat hij verstandig wordt. 'God,' zegt ze, 'u meent het echt! Nou, ik zou u wel gezelschap willen houden, maar ik moet terug naar kantoor. Je kunt immers niet weten of er iemand met een blanco cheque binnenstapt! Hoewel ze net zo goed een geladen pistool bij zich kunnen hebben. Ze zouden me echt een groot plezier doen als ze me een kogel door mijn kop zouden jagen.' Ze zwijgt, kennelijk genietend van dit vooruitzicht.

'Leuk kennis met u te hebben gemaakt,' zegt Albert.

'O,' zegt ze geschrokken. 'Dat vind ik ook. En kom maar terug als u zich bedenkt. Ik ben op mijn kantoor, dood of levend.'

Albert blijft even op de stoep staan kijken als Marjorie haar gordel omdoet en de auto start. Het klinkt alsof de auto eerder zal ontploffen dan dat hij in beweging zal komen. Albert kan zich goed voorstellen dat ze beide in rook zullen opgaan in een vuurbal van ongelode benzine, waarna alleen nog een grote, smeulende krater aan hen herinnert.

Met een knersende versnelling rijdt de auto opeens schokkerig weg. Hij denkt dat hij haar nog even ziet zwaaien, maar misschien schoot haar hand wel in de lucht toen de auto er als een bokkend paard vandoor ging.

Een paar seconden later is ze uit het zicht verdwenen en is Albert weer alleen.

Hij had gedacht dat het gemakkelijk zou zijn om Connies huis te vinden. Hij had niet verwacht dat ze ook thuis zou zijn en hij had al helemaal niet bedacht wat hij zou zeggen als ze wel thuis zou zijn, maar zijn instinct had hem verteld dat hij haar huis moeiteloos, bijna probleemloos zou vinden. De goden waren hem immers al goedgezind geweest nadat zij haar eerste brief had verstuurd, zodat hij ervan uitging dat ze hem nu ook niet in de steek zouden laten.

Maar hij vergiste zich. Nu hij vier of vijf uur heeft rondgelopen door straten die er allemaal identiek uitzagen, weet hij maar één ding zeker en dat is dat hij waardeloze schoenen heeft. De zolen zijn ontzettend dun en slap, zodat hij het gevoel heeft dat hij op blote voeten loopt, en de achterkant van zijn schoenen schuurde constant tegen zijn hielen zodat hij nu allemaal bloederige blaren op zijn hielen heeft. Dat ongemak was goed te doen toen hij er nog van overtuigd was dat Connies huis voorbij de volgende hoek stond of voorbij de volgende, maar toen de hoop langzaam wegebde werd de pijn erger en voelde hij dat de kille wind dwars door hem heen blies.

Tegen de tijd dat hij thuis in de lift stapt, is hij zowel emotioneel als psychisch een wrak. En hij is absoluut niet voorbereid op wat hij ziet als de liftdeuren op zijn verdieping openschuiven: Max heeft zijn hele balkontuin vervangen. Rijen kleurige bloemen buigen in de wind en in de schemering zijn hun kleuren bijna fluorescerend.

Pas als Albert dichterbij is gestrompeld, ziet hij dat het allemaal kunstbloemen zijn. Pot na pot staat vol plastic bloemen, stuk voor stuk stevig vastgeplakt zodat niemand ze er ooit nog uit kan halen.

Ze zijn zo lelijk en zo nep, dat Albert even blijft staan om ze eens goed te bekijken. Hij heeft weleens gehoord dat bepaalde kunstbloemen tegenwoordig zo levensecht lijken dat je amper het verschil kunt zien. Als die echt bestaan, dan heeft Max die in elk geval niet gekocht. Zijn nepbloemen lijken amper op echte bloemen; ze doen denken aan een dickensiaanse fabriek in een afgelegen, duistere uithoek van China, waar de fabrieksarbeiders door het inademen van giftige stoffen te blind en te invalide zijn geworden om zich te realiseren dat ze spuuglelijke dingen maken.

Hij had verwacht dat Max nu wel naar buiten zou stormen om hem met zijn gebruikelijke scheldpartij weg te jagen, maar er gebeurt niets. De gordijnen zitten potdicht en het enige geluid dat hij hoort is het geritsel van de plastic bloemen in de wind.

50

Het laatste wat Carol op deze koude, natte avond in Croydon verwacht, is dat ze vrede met haar moeder zal sluiten.

En toch is Deirdre bij haar en vraagt ze Carol om vergiffenis. 'Ik ben een slechte moeder geweest.'

'Nee, nee, dat is niet zo,' zegt Carol. Dat meent ze natuurlijk niet, maar ze vindt dat ze iets moet zeggen om de scherpe kantjes van haar moeders zelfinzicht te schaven. 'Ik bedoel... Het zal wel zwaar zijn geweest, met papa en zo...'

'Maar dat was geen excuus, dat zie ik nu ook wel in.' Ze glimlacht, met een stralend gezicht. Ze lijkt jonger en levendiger dan Carol haar ooit heeft gezien. 'Je had gelijk. Ik was bang. Ik ben mijn leven lang te bang geweest om echt te leven. Te bang om van iemand te houden.' Carol voelt dat haar hartslag versnelt als Deirdre naast haar gaat zitten, zo dichtbij dat ze haar adem kan voelen. 'Ik ben bang dat ik jou heb geleerd om bang te zijn.'

'Nee, ik... Ik weet het niet. Het gaat prima met me.'

'Ik wil dat je weet dat ik heel trots ben op de vrouw die je bent geworden.'

'Eigenlijk ben ik helemaal niets geworden.'

'Maar dat is wél waar, zie je dat dan niet?' Deirdre buigt zich naar Carol toe.

Carol weet wat er nu gaat gebeuren. Ze begint te huilen als haar moeder haar armen om haar heen slaat, haar stevig tegen zich aandrukt; ze kan de warmte van haar moeders lichaam voelen, haar hart voelen kloppen.

'Ik hou zoveel van je, Carol. Ik wil dat je dat weet. Ik zal altijd van je houden.'

Carol snikt tussen haar tranen door, ze klampt zich aan haar moeder vast, ze wil haar nooit meer loslaten. 'En ik... en ik hou...'

Ze zit rechtop in bed, buiten adem, met natte wangen. Ze kijkt verward om zich heen, op zoek naar haar moeder. Ze verwacht dat ze haar weer op de rand van het bed zal zien zitten en door zal gaan waar ze zijn opgehouden, maar nee, de slaapkamer is donker en stil. Bob ligt rustig naast haar te slapen en ze hoort de regen tegen de ruiten kletteren.

Dan weet ze het opeens, zo zeker dat ze het hardop zegt: 'Mijn god, ze is dood. Ze is dood!'

Bob mompelt in zijn slaap. Als hij weer stil is, glipt Carol zachtjes uit bed en loopt op haar tenen de kamer uit.

Beneden gaat ze in het donker op zoek naar haar telefoon; ze wil het licht niet aandoen, ze wil niets doen om dit moment nog echter te maken dan het al is.

Ze toetst het nummer in en wacht tot ze verbinding heeft, terwijl elke seconde een eeuwigheid lijkt te duren.

Eindelijk...

In gesprek.

Haar vader heeft de hoorn waarschijnlijk weer van de haak gestoten, hij is nu misschien wel in paniek doordat Deirdre op de grond ligt, een verstijfd lichaam in een Marks & Spencer-pyjama.

Zonder een moment te aarzelen, trekt Carol een jas aan over haar nachtpon en rent naar buiten naar de auto. Ze is zo in gedachten dat ze niet eens merkt dat het regent.

Pas als ze zichzelf in het achteruitkijkspiegeltje ziet, realiseert ze zich hoe nat ze is. Haar haren plakken op haar hoofd als gesmolten plastic, en haar hele gezicht voelt nat aan.

Ze rijdt vrij snel door de lege, natte straten. Het voelt alsof zij de enige auto op straat is, alsof de hele stad speciaal voor dit moment in haar leven is gecreëerd, als een gedetailleerde achtergrond, helemaal voor haar alleen.

Ze weet dat ze zich deze details jaren later nog zal herinneren: het geluid van de autobanden op de natte straten, haar adem zichtbaar in de koude lucht, en daar doorheen het overweldigende gevoel dat ze door een desolate omgeving rijdt, door een stad zonder enig teken van leven of beweging.

Carol had zo'n haast om naar het huis van haar ouders te rijden, dat ze niet echt heeft nagedacht over wat ze wil zeggen als ze daar eenmaal is. Hoewel haar moeder dood is en haar vader invalide, drukt ze toch op de bel; ze glijdt instinctief terug in de rol van angstig kind voor de poorten van de hel. Pas als ze het geluid van de bel door het donkere huis hoort galmen, dringt het tot haar door dat de tijden zijn veranderd. Zij heeft nu de leiding. Haar vader is nu afhankelijk van haar.

Ze rent naar de auto en gaat in de kofferbak op zoek naar Bobs gereedschapskist. Algauw vindt ze een dikke moersleutel die zwaar en stevig aanvoelt. Ze loopt ermee terug naar het huis, terwijl de regen uit haar haren druipt, in haar ogen stroomt en tussen haar tenen sijpelt.

Omdat er geen glas in de voordeur zit, moet ze wel door een bloembed heen lopen om bij het raam van de woonkamer te komen. Als ze haar spiegelbeeld in het glas ziet, vindt ze het vrij ironisch dat ze haar hele jeugd heeft geprobeerd uit dit huis te ontsnappen en nu probeert binnen te komen.

Ze kijkt naar haar spiegelbeeld dat de moersleutel boven haar hoofd tilt, hem daar heel even laat hangen en er dan keihard mee tegen het raam tikt.

Ze had niet verwacht dat het zoveel lawaai zou maken en dat ze bijna zou worden bedolven onder de glassplinters. Een paar seconden later gaat het licht in de huizen van de buren aan. Maar veel erger is dat het licht in het huis van haar ouders ook aangaat.

Carol wordt pas echt nerveus als ze iemand de trap af hoort lopen. Even later gaat het licht in de woonkamer aan en komt Deirdre de kamer binnen, met krulspelden in haar haar en zonder make-up waardoor ze er tien jaar ouder uitziet.

Ze kijken elkaar aan; de vloer van de woonkamer ligt bezaaid met glinsterende glassplinters.

'Ik dacht dat je dood was,' zegt Carol.

'Natuurlijk dacht je dat. Waarom zou je anders om drie uur 's nachts het raam van de woonkamer kapotmaken? En de bloembedden vertrappen?'

Carol kijkt naar beneden en ziet de kapot getrapte bloemstengels in de modder liggen.

'Je vader heeft waarschijnlijk weer een beroerte gekregen door deze herrie.'

'Is hij ook wakker?'

'Carol, half Croydon is nu wakker!' Ze kijkt naar buiten en trekt haar ochtendjas strakker om zich heen. 'Dankzij jou staan alle buren naar ons te kijken.'

Carol voelt de zware moersleutel in haar hand en realiseert zich dat dit waarschijnlijk een verkeerde indruk wekt: die van een indringer met een stomp metalen voorwerp die midden in de nacht het huis van een oude vrouw wil binnendringen. Ze draait zich om en zwaait vrolijk naar alle toeschouwers, maar ze kijken alleen maar terug, gealarmeerd, gefascineerd.

'Je kunt maar beter naar huis gaan,' zegt Deirdre. 'Al weet ik niet hoe we moeten slapen met dat ingeslagen raam...'

'Volgens mij wordt de regen al minder.'

'En wat te denken van al die dronkaards en moordenaars die 's nachts rondzwerven?'

'Laat mij dan...'

'Nee, bedankt. Dat doe ik zelf wel. Dan heb ik tenminste eindelijk iets te doen in mijn ontspannen leventje. Maar de rekening stuur ik wel naar je door.'

'Natuurlijk.'

Carol blijft staan, ze wil wanhopig graag dat ze hier anders mee om konden gaan. Kunnen ze er niet om lachen? Kunnen ze niet dankbaar zijn dat haar moeder dus niet dood is? Ze kan zich gemakkelijk voorstellen hoe anders de situatie zou kunnen zijn – moeder en dochter die zich onder het genot van een kop thee verkneukelen over het feit dat ze deze puinhoop straks moeten opruimen – maar ze weet gewoon niet hoe ze dat voor elkaar moet krijgen. Dat is een wereld vol liefde en intimiteit die ze wel kan zien, maar niet kan bereiken.

Omdat ze weet dat ze zal gaan huilen als ze nog langer blijft, draait ze zich om om weg te gaan.

'Wacht even,' zegt Deirdre, 'ik heb nog een vraag. Waarom dacht je dat ik dood was?'

'Dat heb ik gedroomd.'

Deirdre kijkt haar aan. 'Nou, lekker is dat! Hier halsoverkop naartoe komen als je denkt dat ik dood ben. Was je maar even enthousiast nu je weet dat ik nog leef.'

Carol weet niet wat ze moet zeggen en loopt terug naar haar auto. Ze merkt opeens hoe koud en nat ze eigenlijk is. Ze start de auto en ziet dat Deirdre nog steeds in de woonkamer naar haar staat te kijken. Ze zou naar huis moeten gaan, dat weet ze ook wel, maar teruggaan naar Bob voelt even onmogelijk als hier blijven. Ze rijdt weg, hoewel ze nog altijd niet weet waar ze naartoe gaat. Ze weet alleen dat ze weg moet.

51

Hij had niet terug moeten gaan, dat weet hij ook wel. Zijn voeten doen pijn en hoewel het niet meer regent, waait er nog altijd een stevige, koude wind door de straten. Met dit weer zou niemand buiten moeten zijn en op zijn leeftijd al helemaal niet. Maar hij heeft immers geen keus? Hij voelt de tijd gewoon door zijn vingers glippen, elke dag brengt hem dichter naar de rand van een steile afgrond. Connie vinden betekent het verschil tussen over de rand te pletter vallen en proberen te vliegen.

Hij loopt een leeg café binnen voor een kop thee. Hij vindt het altijd prettiger als ze leeg zijn; hij heeft nog nooit de moed kunnen opbrengen om in z'n eentje een vol café binnen te gaan. Helaas is een leeg café meestal niet voor niets leeg. Hij heeft alles al meegemaakt: koude thee, plakkerige tafeltjes, slechte bediening, vieze geuren. Deze keer wordt hij bediend door een vrouw die het leven haat. Niet alleen haar eigen leven, maar het leven van de hele mensheid. Dat voelt hij al zodra hij binnenkomt: de onheilspellende sfeer zuigt alle vrolijkheid uit de lucht. Hij wil weer weggaan, maar ze staat al vanachter de bar naar hem te kijken en hij vindt het onbeleefd om zich nu gewoon om te draaien.

Het voordeel is dat zijn kop veel te dure, lauwe afwaswater hem ten minste tien minuten relatieve warmte zal opleveren.

Hij zit bij het raam en kijkt naar de gepijnigde blik van de mensen die moeizaam tegen de wind in lopen, en naar het afval dat af en toe door de straat wordt geblazen. Het levert een verwaarloosde aanblik op die hem doet denken aan reportages over oorlogsgebieden, waarin te zien is dat mensen een misplaatste poging doen om hun weinige resterende bezittingen te redden. Croydon vormt een achtergrond waartegen zijn fantasie zelfs geloofwaardig lijkt: dit zijn geen gewone voorbijgangers, maar de ongelukkigen en de vervloekten, de mensen die niet met de laatste helikopter mee konden om de stad te verlaten en zich nu een weg banen door een stadsbeeld dat ideaal lijkt voor zwaar artillerievuur en mortieren.

Opeens staat de vrouw naast hem, zodat hij opschrikt uit zijn gedachten. 'Wilt u nog iets bestellen?' vraagt ze.

'O... nee, dank u wel.'

Ze grist zijn lege theekopje van het tafeltje. 'Dan wilt u nu zeker gaan.'

Het lijkt Albert niet verstandig een vrouw die zomaar een mes kan pakken tegen de haren in te strijken. Dus trekt hij zijn jas aan en loopt naar de uitgang.

Als hij weer buiten staat, in de koude wind, realiseert hij zich dat het eigenlijk wel vreemd is dat hij op zoek is naar iets waarvan hij absoluut niet weet hoe hij het moet vinden. Dat dit niet alleen frustrerend, maar eigenlijk ook hopeloos is.

Hij besluit naar links te gaan, alleen al omdat hij dan niet tegen de wind in hoeft te lopen. En dan bedenkt hij dat hij feitelijk ook zo'n bezitloze is geworden, een vluchteling die de peilloze diepte van een onzekere toekomst ontvlucht...

52

'Je bent dus gewoon de M25 op en neer gereden?' vraagt Helen. 'Drie uur achter elkaar?'

'Op dat tijdstip is het heel erg stil.'

'Daar gaat het niet om. Je levensangst heeft nu een CO_2-voetafdruk zo groot als Wales.'

Misschien omdat ze beseft dat dit niet het juiste moment is voor een milieutechnisch verwijt zegt ze op een andere toon, gevoeliger, hoopvoller: 'Je had naar mij toe kunnen komen.'

'Ik wilde je niet wakker maken.'

'Ik dacht dat je me ontweek.'

'Nee, natuurlijk niet.' Ze kijken elkaar aan, in de wetenschap dat dit een leugen is. 'Nou, goed dan. Het is wel zo.'

'Komt dat door mijn lesbische opmerking?'

'Shit, Helen, er is veel meer voor nodig om me af te schrikken dan een vastgegespte dildo.' Carol zucht en de sfeer in de kamer wordt wat ontspannener. 'Het komt door wat je over Bob zei. Over dat ik tevreden moest zijn met wat ik heb. Ik héb niets, daar gaat het dus om. Het maakt niet uit of ik in mijn eentje nooit gelukkig zal worden. Ik bedoel, nu ben ik ook niet gelukkig, dus wat heb ik te verliezen?'

'Ik wilde je alleen maar helpen.'

'Dat weet ik echt wel. En je hebt waarschijnlijk wel gelijk. Ik bedoel, ik heb de afgelopen twintig jaar alleen maar verkeerde beslissingen genomen.'

'Nee, dat is het niet...' Heel even lijkt het alsof Helen meer wil zeggen, maar dan besluit ze haar mond te houden. In plaats daarvan biedt ze Carol een schaal aan met iets erop wat eruitziet als konijnenvoer dat een paar maanden vochtig is geweest en daarna in een onbetrouwbare oven is gedroogd.

'Zelfgebakken koekjes. Ontzettend gezond.'

'Ja, zo zien ze er ook uit. Misschien straks.'

Helen pakt een koekje en neemt een hapje, waardoor er vlijmscherpe flintertjes havervlokken op haar trui vallen. Op het weinige wat ze wel in haar mond krijgt, moet ze minstens twintig tot dertig keer kauwen. 'Misschien moet je ze ergens indopen,' zegt ze, als ze eindelijk weer iets kan zeggen. 'Hoe laat was je weer thuis?'

'O, dat weet ik niet. Halfacht, acht uur... De zon kwam al op. Alleen daarom ben ik gestopt. Het gaf me een goed gevoel om in het donker rondjes te rijden, maar toen het licht werd voelde het een beetje zielig.'

'Licht laat ons echte ik zien.' Helen ziet Carols boze blik. 'Ik bedoel, de situatie waarin we ons bevinden.' Ze probeert een ander koekje in haar thee te dopen, maar dat breekt meteen en zakt als een soort tarwepuree naar de bodem van haar kopje.

'Gelukkig was ik weer thuis toen Bob wakker werd,' zegt Carol. 'Ik bedoel, stel je voor dat ik hem had moeten vertellen wat er die nacht allemaal was gebeurd.'

'Welk deel?'

'O god, alles.' Carol kijkt naar de grond, te diep in gedachten om te zien dat Helen de troep uit haar theekopje lepelt. 'Het ergste is dat die droom niet alleen heel echt voelde, maar ook heel goed. Het was goed dat ze dood was.'

'Nou ja, je mag haar immers niet?'

'En?'

'Wat?'

'Ik hoopte dat je meer zou zeggen dan dit. Ik dacht dat je zou proberen mijn dromen te verklaren.'

'Daar heb ik wel een paar boeken over gelezen, maar dat maakt me nog geen expert.' Helen wil het duidelijk over iets anders hebben. 'Ik moet er gewoon een beetje water bij doen,' zegt ze. Ze pakt de theepot en loopt ermee naar de keuken.

'Hoe is het met Jane?'

'Ze logeert een paar weken bij haar vader,' antwoordt Helen. 'Dat zou lang genoeg moeten zijn om haar te doen inzien dat hij niet perfect is.'

'En lang genoeg om zijn nieuwe vrouw zich te laten afvragen waar ze in vredesnaam aan is begonnen.'

'Tja, dat wilde ik niet zeggen, maar dat heb ik wel gedacht.' Helen staat weer in de deuropening, met op de achtergrond het geluid van een waterketel die op temperatuur komt. 'En Sophie? Zij zal zo langzamerhand wel wantrouwend worden.'

'We hebben haar verteld dat we allebei voor het einde van het jaar onze vakantiedagen moeten opmaken. Ze vroeg alleen maar waarom we dat niet in Italië deden. Ze leek niet onder de indruk toen ik aanbood spaghetti klaar te maken, zodat we allemaal konden doen alsof.'

Helen schiet in de lach en loopt weer naar de keuken.

Nu Carol weer alleen is, dwalen haar gedachten terug naar de dingen waar ze zich zorgen over maakt. 'Misschien is het goede van mijn droom van vannacht wel dat ik nu begrijp dat ik die fantasieën moet loslaten.'

'Wat bedoel je daarmee?' roept Helen.

'Ik denk dat ik ergens altijd heb geloofd dat mijn relatie met mijn moeder vanzelf wel beter zou worden. Dat zij, als ik maar gewoon volhield, zomaar in iemand anders zou veranderen, alsof haar persoonlijkheid een soort nare griep was of zo. Maar nu snap ik dat het nooit beter zal worden dan het nu is.'

Als Helen terug is, begint Carol tegen de vloerbedekking te praten. Het is gemakkelijker om haar hart uit te storten bij een donkerbruin hoogpolig tapijt, net zoals ze haar gedachten aan een onbeschreven vel papier kan toevertrouwen. 'Het is net als bij Bob, weet je? Ik bedoel, ons probleem wordt gedeeltelijk veroorzaakt door dat stomme idee dat ik alleen maar tegen hem kan zeggen wat hij wil horen, maar het is meer. Ik zit al jaren te wachten tot hij verandert, en ik blijf maar tegen mezelf zeggen: "O, maar nu kan ik hem nog niet verlaten, hij is immers nog niet verpopt, maar daarna komt alles wel goed." En het gekke is dat hij nog niet eens een rups is, hij is een eitje.'

'Hoe gaat het met hem?'

'Dat kun je straks zelf zien. Hij haalt me om halftwaalf op. Hij wil samen naar de film, met geweren en explosies en heel veel moorden, alsof zijn eigen kanker al niet genoeg ellende is.'

'Misschien is het symbolisch of zo. Je weet wel, voor het gevecht dat hem te wachten staat.'

'Nee, we hebben het over Bob! Hij houdt gewoon van slechte, gewelddadige films.'

Buiten waait een afvalcontainer om, en het geluid echoot door de lege straten.

'Ben je niet bang dat hem iets overkomt in dit weer?'

'God, nee hoor. Dat is ook iets wat ik me heb gerealiseerd: Bob is net als mijn moeder. Hij is onverwoestbaar. Ik zou me niet eens druk hoeven maken over die kanker van hem. Die man is waarschijnlijk onsterfelijk.'

Bob stapt niet uit de auto als hij er is, hij toetert alleen een paar keer.

'Ik denk weleens dat hij me ontloopt,' zegt Helen als ze door het raam van de woonkamer naar hem kijkt.

'Ik wilde dat hij dat bij mij deed.'

'Heb ik gelijk? Dat hij me ontloopt, bedoel ik.'

'Natuurlijk niet, daar is hij veel te stom voor.' Helen lijkt niet overtuigd. 'Volgens mij denkt hij gewoon dat we samen vrouwendingen doen. Het zou zijn mannelijkheid kunnen bedreigen als hij te dichtbij komt.' Ze trekt haar sjaal recht en knoopt haar jas dicht. 'En nu hij nog maar één bal heeft, is zijn mannelijkheid natuurlijk wel een zwakke plek geworden.'

'Nou, geef hem maar een knuffel van me, oké?'

'In plaats van eentje van mezelf, heel graag.' Ze omhelst Helen. 'Als je hebt kunnen uitdokteren wat mijn droom betekent, moet je me bellen!'

'Leuke ochtend gehad?' vraagt Bob.

'Ging wel. Ik moet je de groeten van haar doen.'

'Ze is wel een beetje maf tegenwoordig, vind je niet?'

Als ze wegrijden, zwaaien ze naar Helen.

'Ze heeft het hart op de goede plaats,' zegt Carol. 'En ze heeft een heel hoge dunk van je.'

'Echt waar?' Hij kijkt verbaasd, alsof hij nu bereid is Helen in een totaal nieuw daglicht te zien. 'Maar ze weet toch niets? Over mij, bedoel ik.'

'Nee, natuurlijk niet. We hebben het altijd veel te druk met het bespreken van haar problemen om over die van jou te praten.'

Bob heeft het einde van Helens straat bereikt en rijdt ongebruikelijk oplettend naar de kruising. Hij remt een beetje af en stuurt de auto precies in de juiste hoek naar de onderbroken witte lijn.

Het is Carol opgevallen dat hij dat sinds een paar dagen doet, kennelijk uit een soort behoefte aan orde bij zelfs de meest eenvoudige handelingen. Een perfect gekookt ei is niet langer gewoon een ei, maar staat symbool voor een overwinning op het lot, net zoals een slecht gestreken overhemd nu een voorbode is van hel en verdoemenis.

De weg waar ze nu op rijden is drukker en Bob rijdt in een bijna ceremonieel tempo, zorgvuldig midden op hun rijbaan. Hij kijkt naar het dashboard en zegt verbaasd: 'De tank is bijna leeg. Ik weet bijna zeker dat ik een paar dagen geleden nog heb getankt.'

'Maakt niet uit, dan tanken we ergens onderweg wel even.'

Als Bob staat te tanken, kijkt hij nog steeds fronsend naar de slang; het is duidelijk dat zijn wereld steeds vager en warriger wordt.

'Laat toch. Je had zoveel aan je hoofd.' Ze wrijft liefkozend over zijn been, op dezelfde manier als ze een incontinente hond zou troosten die net binnenshuis zijn plas heeft laten lopen. Voordat ze zelfs maar beseft wat ze zegt, komen er betekenisloze liefdevolle woorden uit haar mond: 'Maak je er maar niet druk over, Bob. Ik hou nog steeds van je.'

53

Feitelijk geeft Albert zijn zoektocht niet op, hij stelt hem alleen maar even uit. Maar tot wanneer? Hij is verkleumd tot op het bot en dat terwijl de winter nog maar amper begonnen is.

Als hij ten slotte in de bus naar huis stapt, zoekt hij een plaatsje beneden. De blaren op zijn hielen doen zo'n pijn dat hij liever naar huis zou willen kruipen dan de trap op naar de bovenverdieping van de bus.

Zover is het dus al, denkt hij. Hij zit naast een oude man die naar pepermunt en urine ruikt. Ik zie er oud uit, ik voel me oud en nu gedraag ik me ook oud.

Net als de andere passagiers kijkt hij afwezig naar buiten en weet hij niet meer zeker of de bus zich verplaatst of dat de wereld buiten langs hen heen flitst.

Hij is zo afgeleid door de pijn en zijn angst dat hij de vlag eerst niet eens ziet. Hij hangt een eindje verderop; hij steekt maar net boven de daken uit en toch wappert hij zo wild in de wind dat hij Alberts aandacht trekt.

Zelfs terwijl Albert naar de vlag kijkt, gaat er geen lampje branden. Daar wappert gewoon een vlag, en dat in deze wind! Terwijl de vlag tegen de touwen slaat, kan Albert zich voorstellen dat hij elk moment los kan schieten, over de daken heen zal zweven en wie weet waar naartoe zal waaien.

'Nee!' Hij is zich niet langer bewust van de pijn, springt op en drukt op het stopknopje. 'Ik moet eruit!' schreeuwt hij.

'Volgende halte!' antwoordt de buschauffeur kwaad.

Ze zijn nog maar net de vorige halte voorbij en Albert heeft geen zin ook maar één extra kilometer aan zijn voettocht toe te voegen. 'Straks doe ik het in mijn broek!' schreeuwt hij, zo hard dat iedereen het kan horen.

Snel zet de chauffeur de bus aan de kant en de andere passagiers mompelen dat ze blij zijn dat ze er nog niet zo slecht aan toe zijn als Albert.

De bus rijdt door en Albert weet vrij zeker in welke richting de vlag staat, maar als hij dieper de wijk in loopt, raakt hij de weg kwijt door de wirwar van rechte en doodlopende straten. Hij slaat een hoek om, maar dat blijkt een doodlopende straat. Hij wil op zijn schreden terugkeren, maar dat blijkt alweer een doodlopende straat te zijn. Het is zo koud dat er bijna niemand op straat is aan wie hij de weg kan vragen, en zelfs als er een jongen aan komt fietsen, gaat het gesprek niet zoals Albert had gehoopt.

'Ik zoek een vlaggenmast,' zegt Albert.

'Wát zoekt u?'

'Een vlaggenmast.' Albert probeert iets groots en langs aan te duiden, hoewel hij achteraf wel begrijpt dat de jongen zijn gebaren verkeerd interpreteerde.

'Gatver, wat ben jij pervers zeg!'

'Ik denk dat ik nu maar doorloop.'

De jongen kijkt hem na als hij wegloopt. 'Als jij de jouwe laat zien, laat ik je de mijne zien!'

Albert negeert hem, maar gaat sneller lopen, en slaat willekeurig links en rechts af. Net als hij denkt dat hij nooit de uitgang van deze doolhof zal vinden, laat staan Connie, ziet hij het! Hij slaat een hoek om en dan ziet hij het: een wereld zoals in haar brieven, meer een filmset dan een plek waar echte mensen wonen. Het ziet er iets anders uit dan hij zich had voorgesteld, maar er is geen twijfel over mogelijk dat ze hier woont. En boven alles uit torent de vlaggenmast, waardoor het net zijn eigen kleine koninkrijk lijkt, onafhankelijk van de buitenwereld.

Nu hij er zo dichtbij staat, is hij er nog meer van overtuigd dat de vlag zich elk moment kan losrukken; de randen van de stof beginnen al te rafelen. Hij draait zich om naar het huis van de overburen, Connies huis. Dat is pas echt het ultieme bewijs dat hij hier moet zijn. Albert weet precies welk huis van haar is: de voortuin is kaal maar netjes en de dubbele ramen beschermen het huis tegen de elementen.

Hij trekt zijn jas recht en probeert op een doelbewuste, autoritaire manier naar de voordeur te lopen. Zijn hart klopt zo snel dat hij zich ergens aan moet vastklampen en hij stelt zich voor dat hij de nieuwste tarieven voor pakketpost komt uitleggen of een nieuw plan introduceert waarbij gepensioneerde postbodes zich beschikbaar stellen als vriend voor ongelukkige huisvrouwen.

Als hij de bel hoort rinkelen, heeft hij het gevoel dat dit geluid net zo goed voor hem is als voor Connie. Het geeft het begin van iets aan; niet het einde van een reis, maar het begin van een nieuwe.

Achter zich hoort hij voetstappen. Albert draait zich om en ziet een vrouw op pumps door de doodlopende straat lopen.

'Bob en Carol zijn er niet. Ik ben Mandy, zal ik even tekenen voor ontvangst?' Ze komt zo dicht bij hem staan dat ze zijn lege handen kan zien, en ze krijgt een teleurgestelde blik op haar gezicht.

Zelfs Albert kijkt naar zijn handen, hij schaamt zich voor het feit dat hij geen postbodetas heeft geleend om zijn vermomming echt te laten lijken. 'Hallo, ik...' Hij weet niet meteen wat hij moet zeggen. Nu hij haar daar ziet staan, iemand die Connie kent, voelt hij de behoefte om zijn hart te luchten, haar alles te vertellen.

'Ik ben hier voor Connie...'

Mandy kijkt onbegrijpend. 'Carol.'

Ze kijken elkaar aan.

'U bedoelt Carol,' zegt ze weer.

Haar echte naam! Lieve help, de engelen in de hemel zingen niet alleen, maar ze zetten het ook op een zuipen en bestellen nog een rondje voor iedereen.

'Carol,' zegt hij. 'Ja, dat klopt. Carol heeft wat eh... onbestelbare post verstuurd. We eh... we sturen die niet langer terug, om budgettaire redenen. Daarom wilde ik haar vertellen dat ze... dat ze langs moet komen om het op te halen.'

Mandy lijkt niet verbaasd dat een postbode op zondag langskomt en Carol bij haar voornaam noemt. 'Geen probleem,' zegt ze. 'Ik zal het haar zeggen.'

'O, dat is niet nodig. Ik ben vaak hier in de buurt. Ik kom een andere keer wel terug.'

Mandy lijkt opgelucht, alsof ze weet dat ze het misschien wel vergeet. Ze maakt aanstalten terug te lopen.

'Neem me niet kwalijk,' roept Albert. 'Hoe kom ik weer bij de hoofdstraat?'

Alweer lijkt Mandy niet verbaasd; ze vindt het kennelijk helemaal niet vreemd dat een postbode verdwaald is. 'U moet links aanhouden,' zegt ze onzeker. 'Ik bedoel rechts. Nou ja, allebei eigenlijk, maar niet in die volgorde.' Ze wordt rood. 'Wacht even, het helpt als ik net doe alsof ik in de auto zit.'

Ze pakt een denkbeeldig stuur vast en begint te rijden, ze schakelt zelfs af en toe. Ze lijkt nu diep in gedachten, zich amper bewust van het feit dat ze midden op straat staat. Albert heeft het gevoel dat hij naar een spiritueel medium kijkt die in trance is geraakt en elk moment ectoplasma kan afscheiden.

'Oké,' zegt ze met haar blik in de verte, 'eerst links...' Ze rijdt in gedachten door. 'Daarna weer links...' Ze fronst, ze rijdt nu waarschijnlijk achter een langzaam rijdende auto of ze ontwijkt een denkbeeldig kind. 'Daarna rechtsaf. En dan bent u er.'

'Links, links, rechts. Heel erg bedankt.'

'Het is net een dans, hè? Links, links, rechts.' Ze draait zich om en loopt naar haar huis. Haar blonde bos haar doet Albert denken aan een konijn dat dekking zoekt.

'Toedeloe!' roept ze, terwijl ze haar oprit op loopt en uit het zicht verdwijnt.

54

Het is maandagochtend, vandaag krijgt Bob de uitslagen van zijn onderzoeken. De storm van het weekend is gaan liggen en de zon schijnt eindelijk, zodat het buiten iets warmer lijkt. Nu Bob zo gevoelig is voor voortekenen, is het een opluchting voor Carol dat ze hem naar de specialist kan brengen zonder dat het weer het einde van de wereld lijkt aan te kondigen.

Ze zitten zwijgend in de auto, zelfs de radio staat niet aan. Dat hebben ze eerst wel geprobeerd – linksaf, linksaf en rechtsaf, terwijl Carol probeert op een positieve manier te rijden – maar elk grapje en elk nummer klonk infantiel gezien de dag die hen te wachten staat. Alleen stilte lijkt passend.

Het is spitsuur en dus druk op de weg als ze dichter bij het centrum komen; de wereld om hen heen bestaat uit auto's die bumper aan bumper rijden en worden bestuurd door mannen in overhemd en donker pak. Op dit soort momenten denkt Carol altijd terug aan de tijd dat ze in het spitsuur aan hun vakantie begonnen en naar Heathrow reden, terwijl de rest van de wereld naar het werk kroop. Ze voelde zich toen heel bijzonder, alsof ze een geheim had dat ze wilde vertellen – een heerlijke behoefte om het raampje naar beneden te draaien en de mensen te vertellen dat zij aan het einde van die dag op het strand zou liggen, dat zij de komende twee weken alleen maar cocktails zou drinken en aan hun dagelijkse routine zou denken.

Nu zijn ze hier weer, ze komen maar heel langzaam vooruit en ze hebben nu een heel ander geheim. Daardoor vraagt ze zich af hoeveel dingen ze nooit zal weten van de mensen om haar heen: dat de zakenman in de auto links van haar misschien wel helemaal niet naar kantoor gaat, maar gewoon doorgaat met wat hij altijd heeft gedaan omdat hij nog altijd niet kan accepteren dat hij vorige maand ontslag heeft gekregen; en dat de vrouw in de auto achter haar haar kleine kinderen niet naar school brengt, maar ze naar hun vader brengt die stervende is aan een leverziekte zodat ze afscheid van hem kunnen nemen.

'Vind jij dit ook niet ontzettend verkeerd?'

Bob zit duidelijk niet op een gesprek te wachten. 'Wat is er verkeerd?' vraagt hij, fronsend en in zijn eigen gedachten verzonken.

'De manier waarop we allemaal leven. Ik bedoel, we reizen door het leven ingekapseld zoals nu, schuiven langs elkaar heen, en toch weten we niets van elkaars leven.'

'En wat wil je dan precies weten over het leven van andere mensen?'

'Waar ze naartoe gaan. Wat ze aan het doen zijn. Wat ze daarvan vinden.'

Bob kijkt even naar de auto's om hen heen. 'Werk, werk, werk, school misschien, en ik weet het niet, maar het kan niet echt leuk zijn, want ze zien er belabberd uit.'

'Zou je niet willen weten waarom ze er zo belabberd uitzien? Misschien kun je ervoor zorgen dat ze zich beter voelen.'

'Voel jij je wel goed?'

'Ja, maar...'

'Ik wil ook wel rijden, hoor.'

'Nee, ik ben gewoon... Ik bedoel, zou je niet willen dat deze mensen wisten dat je naar het ziekenhuis gaat?'

'Nee.'

'Maar stel je eens voor dat ze dat allemaal wisten, dat al deze mensen je het beste zouden toewensen.'

'Medelijden met me zouden hebben, bedoel je. Dat iedereen denkt: Arme ziel, voor de kerst is hij dood.'

Zijn woorden blijven in de lucht hangen. Hij is duidelijk van zijn stuk gebracht en doet de radio weer aan. De deejay en zijn team klinken nu zo hyper dat je zou denken dat ze tussen de platen door liggen te snurken. Het is onnozel en stompzinnig, en duidelijk dat Bob ervan baalt.

'Luister,' zegt Carol, 'sorry dat ik erover begon.'

'Ach, het is geen probleem.'

'Zet alsjeblieft de radio uit.'

'Maar ik vind het leuk.'

'Natuurlijk niet. Ik hou mijn mond, echt waar.'

'Nee, ik vind het fijn, de muziek.' Ze ziet hem in elkaar krimpen als Britney Spears begint te zingen. 'Gewoon een manier om de tijd door te komen.'

'Luister, we hebben allebei de pest aan Britney.' Ze zet de radio op een andere zender. Ze horen de trieste tonen van Chopins begrafenismars. 'Oké, deze misschien niet...' Ze zet hem weer op een andere zender, net op tijd om Frank Sinatra tot leven te horen komen. *'And now the end is near, and so I face the final curtain...'*

Bob zet snel Britney weer op, die inmiddels kreunend zingt over haar tienerangsten in een liedje dat best weleens *Slap Me, I Need It* zou kunnen heten.

Aan het einde van de geblokkeerde straat staat het verkeerslicht op groen, maar met deze file heeft dat geen enkele functie.

Britney gaat door met haar muzikale aanval en Carol en Bob wachten zwijgend tot het lied afgelopen is, terwijl de voortekenen steeds minder veelbelovend lijken.

Na een lange rit die steeds meer op een wortelkanaalbehandeling begon te lijken, kijkt Carol echt uit naar het weerzien met de receptioniste. Maar vandaag zit er een andere vrouw. Ze is ouder en lijkt moederlijker, en heeft het opgeblazen lichaam van een stiekeme drinker – een uiterlijk dat Carol maar al te goed kent.

Maar zoals gebruikelijk is Bobs specialist uitstekend in vorm. Hij begroet hen met een brede glimlach, zodat Carol alleen zijn perfect witte tanden ziet. 'Goedemorgen!' Hij geeft Bob met welgemeende hartelijkheid een hand. 'En mevrouw Cooper, wat fijn u ook weer te zien.'

Maar als ze allemaal zijn gaan zitten, schakelt hij letterlijk zijn glimlach uit. 'Ik moet u zeggen,' zegt hij, 'dat ik bang ben dat ik geen goed nieuws voor u heb.'

55

Als Gloria Albert al begreep, zou ze geen woord meer over zijn expeditie willen horen: over Carols huis bijvoorbeeld, 'niet opzichtig hoor, maar gewoon heel leuk', en over haar buurvrouw, 'compleet getikt, ze zegt nota bene toedeloe, maar heel lief'. Alles wat hij zegt is bijna een anekdote, alsof hij herinneringen ophaalt aan een zomer met goede vrienden.

Hij zou het liefst vandaag weer naar Carols huis gaan, maar het is maandag – de eerste dag van zijn laatste werkweek – en hij voelt zich verplicht om naar zijn werk te gaan. Dat is iets nieuws, dat hij zijn baan als een verplichting beschouwt in plaats van als een voorrecht. Het postbedrijf heeft veel voor hem betekend, maar dat was vroeger, toen hij ook iets voor het postbedrijf betekende. Nu is zijn werk alleen maar een stoorzender, iets wat hem afleidt van zijn opbloeiende sociale leven.

Maar ach, een paar dagen meer of minder kan geen kwaad, alleen al omdat hij nu weet waar hij Carol kan vinden. Er is dus geen haast bij. Bovendien kleven er praktische bezwaren aan een bezoek vandaag: zijn voeten zien eruit alsof ze op het hakblok van een slager hebben gelegen en hij is bang dat hij in Carols huis zijn schoenen zal moeten uittrekken. Sokken met bloedvlekken lijken niet echt een goed begin van een vruchtbare en prettige vriendschap.

Eerst voelt hij de pijn niet eens. Hij is een beetje moe, maar dat wijt hij aan het feit dat hij het weekend veel te veel heeft gedaan. Pas in de loop van de dag realiseert hij zich dat er iets mis is. Hij heeft bijna alleen maar aan Carol gedacht, maar nu verdwijnt ze in een soort nevel. Hij probeert de gedachte aan haar vast te houden – en aan haar huis en de vlaggenmast en de getikte overbuurvrouw – maar het glipt allemaal weg en verdwijnt uit het zicht.

Hij trekt zijn jas aan, omdat hij opeens beseft dat hij het ontzettend koud heeft, dat zijn lichaam loodzwaar en stijf aanvoelt.

'Ga je ergens naartoe?' vraagt Mickey.

'Naar huis.'

'Aha, je bent een geluksvogel.'

De lift is weliswaar ontzettend smerig, maar toch gaat Albert steun zoekend met zijn rug tegen de wand staan. De tocht naar huis was onwerkelijk, de wereld om hem heen leek in slow motion te bewegen, zodat elke stap, elk moment onsamenhangend en eeuwig leek. Nu is hij eindelijk thuis, maar er is geen eten in huis voor hem en Gloria.

De liftdeuren gaan open zodat hij de bloemen van Max ziet, een opzichtige explosie van kleuren die meer op een migraineaanval lijkt dan op een balkontuin.

Max is nog steeds niet te zien. Nu hij de planten geen water meer hoeft te geven, lijkt hij constant binnen te zitten met de gordijnen stijf dicht.

Als Albert langs Max z'n huis loopt, probeert hij naar binnen te kijken, maar het enige wat hij ziet is zijn eigen spiegelbeeld: een oude man met een bleek en strak gezicht.

Gloria lijkt opgelucht als hij binnenkomt. Haar nest van toiletpapier is geel van haar urine, maar Albert kan niet meer.

'Het spijt me,' zegt hij en hij laat zich op de bank vallen. 'Ik moet even liggen...'

Ze kijken elkaar aan, twee oude vrienden, ieder aan een kant van de kamer, ieder onbeweeglijk en ziek.

'Ik ga zo voor je zorgen,' zegt hij, terwijl zijn ogen al dicht beginnen te vallen. 'Ik kom er zo aan, echt waar...'

56

Het nieuws van Bobs diagnose schiet met zo'n kracht dwars door Carols leven dat een deel van haar voor altijd op de muren van de behandelkamer van de specialist zal achterblijven.

Daarna is het gesprek gewijd aan behandelplannen en prognoses, en hoewel alles nog steeds op dezelfde optimistische toon wordt verteld, klinkt het nu hol en leeg. Zij en Bob tuimelen razendsnel op de aarde af; draaiend, gedesoriënteerd, en niemand weet hoe diep ze nog moeten vallen en of hun parachute zelfs wel zal opengaan.

Bij hun vertrek krijgen ze een stevige handdruk en bemoedigende woorden van de specialist, maar deze keer schijnt er medelijden door in zijn glimlach en rept hij met geen woord over gin.

Als ze weer op straat staan, baadt Londen in het licht van een waterig zonnetje; het is net alsof de hemel verzadigd is van de tranen die zij en Bob voelen opkomen, maar niet kunnen vergieten.

Ze gaan ergens lunchen, niet omdat ze honger hebben, maar omdat het vertrouwd aanvoelt; alsof dat bewijst dat hun wereld niet echt ten onder gaat. Een druk café in een zijstraat van King's Road is misschien niet de beste keus, want ze zijn omringd door mensen die al gestrest raken als ze tussen hun lunch en de afspraak met de pedicure nergens anders meer tijd voor hebben. Bob en Carol zitten stilletjes bij elkaar, ze raken het eten dat voor hen staat niet aan, zelfs het drinken niet dat ze hebben besteld.

'Het komt wel goed,' zegt Carol zacht.

Bob geeft geen antwoord. Hij pakt haar hand, hoewel daar bijna geen ruimte voor is tussen hun borden met kipsalade en hun potjes met citroengrasthee.

Zo blijven ze zitten, ze klemmen elkaars hand steeds steviger vast, in een wanhopige poging het kwaad te verjagen.

Bobs tranen zijn eerst bijna onzichtbaar, maar als zijn schouders beginnen te schudden en hij zich langzaam vooroverbuigt, beginnen de mensen aan de tafeltjes om hen heen wat zachter te praten. Tafeltje na tafeltje – het golft door het vertrek – tot alleen Bobs snikken nog te horen is. In het café hangt de ongemakkelijke stilte van mensen die niet meer weten wat ze moeten zeggen of doen.

57

Als Albert wakker wordt, weet hij niet meer waar hij is. De kamer ziet er in het schemerlicht anders uit en hij is zo moe. Dit is heel ongewoon voor hem.

'Ik droom,' fluistert hij; zijn mond is kurkdroog.

Hij wacht tot de droom afgelopen is: dat het plafond verandert in een veld met narcissen misschien, of dat zijn vrouw er aankomt en samen met hem op de rug van een olifant gaat dansen.

Maar dat gebeurt niet.

Er gebeurt helemaal niets.

Pas als het koele ochtendlicht de kamer binnenkruipt en Gloria begint te mauwen, realiseert hij zich dat dit echt is. Hij probeert op te staan, maar hij is amper in staat zijn hoofd op te tillen.

'Het gaat helemaal niet goed met me,' zegt hij zwakjes.

Gloria mauwt tegen hem vanuit haar met urine doorweekte nest. Ze begrijpt niet waarom hij haar niet komt verschonen, haar geen eten geeft en haar niet aanhaalt.

'Moet je ons nou eens zien!'

Hij kan de telefoon op het koffietafeltje zien staan, en als hij zijn uiterste best doet, kan hij er misschien wel bij.

Ik zou kunnen wachten, denkt hij. Misschien heb ik het ergste nu gehad. Misschien kan ik over een uur of twee wel weer opstaan en theezetten. Maar dan kijkt hij weer naar Gloria en realiseert hij zich dat het niet beter zal gaan.

Ze lijkt in paniek, ze weet instinctief dat ze in gevaar zijn. Niemand zal hen de komende dagen missen, dat weet hij. En daarna zullen ze allebei dood zijn.

Als hij niet bij de telefoon kan komen... Hij is bang, want hij kan maar één nummer bellen en dat betekent ultieme overgave. Door dat telefoontje zullen onbekenden zijn huis binnendringen. Hij weet hoe het werkt, en dat het hulpeloze oude mannen en hun zieke poezen opslokt.

Wat hij wil, is Carol bellen. Zij zou meteen komen, dat weet hij zeker.

Zij zou Gloria's nest verschonen en alles doen wat er verder gedaan moet worden. Zo'n vrouw is zij.

'Ik ben bang,' snikt hij, met tranen in zijn ogen. Hij probeert zijn tranen weg te knipperen en probeert de telefoon te pakken. Elk bot in zijn lichaam doet pijn van de inspanning.

Langzaam steekt hij zijn hand uit, komt dichter en dichter bij de telefoon. Als zijn vingers er nog maar een paar centimeter vandaan zijn, valt hij van de bank. Hij klapt tegen het salontafeltje, waardoor hij een snee in zijn gezicht krijgt en de telefoon op de grond stoot.

Albert hoort niet dat de voordeur wordt ingetrapt. Hij is zich alleen bewust van de aanwezigheid van andere mensen als de ambulancebroeders de telefoon uit zijn hand pakken en hem op een brancard tillen.

'En Gloria,' mompelt hij. 'Mijn poes...'

'U hoeft zich geen zorgen te maken hoor, uw buren zorgen wel voor de kat.'

'Nee, die zullen haar vermoorden! Ze vermoorden haar!' Hij voelt de brancard onder zich bewegen, hij heeft het gevoel dat hij vliegt. Hij ziet dat Gloria hen ziet vertrekken. 'U begrijpt het niet, zij is ook ziek...'

Gloria wordt een muur, dan een kapotte deur, en daarna voelt hij een vlaag koude lucht. Albert wil rechtop gaan zitten, hij wil eisen dat ze teruggaan. Maar hij zweeft op ooghoogte langs Max' bloemen en ziet opeens dat de plastic bloemblaadjes al stoffig beginnen te worden.

58

Het is een lange nacht geweest. Carol heeft naar het plafond liggen staren, terwijl Bob naast haar diep lag te slapen. De uren kropen voorbij. Ze luistert naar de regelmatige ademhaling van Bob – de man met wie ze de afgelopen twintig jaar heeft doorgebracht, de vader van haar kind – en doet iets wat ze nooit van zichzelf had verwacht: ze probeert een deal met het universum te sluiten en biedt van alles aan in ruil voor een lang en gelukkig leven voor Bob.

Het opofferen van haar eigen geluk lijkt een groots gebaar, maar dat is natuurlijk iets wat ze al jaren doet. Bovendien, als je rekening houdt met de devaluatie is haar aanbod misschien helemaal niet zoveel waard. Wat rest haar nu nog? Alleen haar eigen leven, het enige onderhandelingsobject dat nog steeds enige waarde heeft.

Het is een gekke gedachte, dat ze bereid zou zijn te sterven zodat hij kan blijven leven, maar het is waar. Niet omdat ze van hem houdt, hoewel haar medelijden nu heel erg op liefde lijkt en ze zichzelf bijna kan wijsmaken dat ze weer van hem houdt. Maar gewoon omdat zijn leven nu ze er midden in de nacht aan denkt, meer waard lijkt dan het hare. Hij is niet in de war en zit niet vol tegenstrijdige gevoelens; hij heeft geen spijt van de keuzes die hij in zijn leven heeft gemaakt. Als een eencellig wezen een integer leven zou kunnen leiden, dan is Bob een goede en rechtschapen man. In al zijn eenvoud, in al zijn voorspelbaarheid, is hij alles wat Carol niet is. Zelfs als ouder is hij meer waard dan zij. Als Sophie maar één ouder over zou houden, zou ze meer aan Bob hebben dan aan haar; dat weten ze allemaal. Carol weet nog steeds niet hoe ze dit nieuws aan Sophie moeten vertellen. Zij en Bob hebben afgesproken dat het nu moet, alleen al omdat ze het niet lang meer geheim kunnen houden. Maar hoe? Ze willen haar gerust kunnen stellen als ze het haar vertellen, maar ze hebben geen van beiden het gevoel dat ze dat nu al kunnen. Ze zullen het Sophie pas kunnen vertellen als ze minstens kunnen kijken en klinken alsof ze echt geloven wat ze zeggen.

Helen komt zo zelden bij Carol thuis dat het feit dat ze de oprit op loopt een bevestiging is van Carols idee dat de wereld in snel tempo onvoorspelbaar en onbekend aan het worden is.

Zelfs Helen lijkt te schrikken dat ze hier is. Carol vindt dat ze lijkt op de mensen op een vliegveld: ze zijn allemaal verreisd en hebben last van een jetlag, maar doen toch alsof er niets aan de hand is.

'Je vindt het toch niet erg dat ik zomaar langskom?' vraagt ze als Carol haar voorgaat naar de woonkamer.

'Nee, natuurlijk niet. Jij bent altijd welkom.'

'Het komt, ik kon je gisteren niet bereiken. En vanochtend ook niet. Daarom dacht ik dat je alweer niet met me wilde praten.'

'Het is Bob...' Carol laat haar stem dalen, omdat ze niet weet waar hij is. 'We hebben gisteren de uitslag gekregen.' Voordat ze heeft kunnen beslissen hoe ze de volgende zin zal inkleden, wordt ze al omhelsd door Helen. De omhelzing voelt zo warm en zo goed dat Carol zich afvraagt hoe ze het de afgelopen vierentwintig uur zonder heeft kunnen doen.

'Is het al heel erg uitgezaaid?'

'Ver genoeg.'

'Hij kan genezen, dat weet je toch!'

'Dat proberen we elkaar wel wijs te maken. Maar we geloven het nog niet echt,' zegt ze met een verdrietige glimlach. 'Maar ga toch zitten, dan maak ik iets te drinken voor ons.'

'Dat hoeft niet, hoor.'

'Nee, maar ik wil het graag.' En dat is ook zo, dat is het enige wat ze nu wil: dat iemand haar iets vraagt te doen, dat ze de wensen van andere mensen kan vervullen zodat ze niet aan haar eigen leven hoeft te denken.

Terwijl ze bezig is met de cafetière ziet ze haar spiegelbeeld in het keukenraam. Ze lijkt wel een geest, zo met een vochtige doodlopende straat in een buitenwijk op de achtergrond. Ze herkent zichzelf niet eens meer, ze lijkt op een junkie die de vergetelheid zoekt. Ze doet het licht uit, verjaagt dat beeld. 'Sorry, er is geen kruidenthee,' zegt ze terwijl ze met een dienblad de woonkamer binnenloopt.

'Cafeïne is slecht voor je, weet je dat wel?'

'Dit ook.' Carol houdt Helen een schaaltje chocoladekoekjes voor. 'Ik heb ze niet zelf gemaakt, dus zijn ze goed te eten.'

'Nou, eentje dan misschien...'

'Betrapt!' Bob komt de kamer binnen, zo stilletjes dat Carol aanneemt dat hij hen heeft afgeluisterd.

'Alles goed, Helen?' Hij lijkt niet op zijn gemak nu er iemand anders in

huis is. ‘Carol heeft me niet verteld dat je langs zou komen.’
‘Dat wist ze ook niet; we hadden geen afspraak.’
Bob fronst, hij kijkt van Helen naar Carol en daarna weer naar Helen. ‘Ik dacht dat Carol me ontliep,’ voegt ze eraan toe. ‘Maar gelukkig ben ik alleen maar gek aan het worden.’
Hij knikt nu, alsof hij dat al een tijdje dacht. ‘Ik ga even naar de bouwmarkt,’ zegt hij tegen Carol. ‘De planken in de badkamer zitten een beetje los. Ik wil ze vastmaken en dan meteen de muur wit schilderen.’
Helen kijkt hem iets te stralend aan. ‘Daarna mag je in mijn huis aan de slag.’
Zonder een glimlach, zonder een woord te zeggen loopt hij de kamer uit.
‘Welkom in onze vreemde nieuwe realiteit,’ zegt Carol als de voordeur achter hem dichtvalt.
‘Dat je dit volhoudt!’
‘O, maar dat doe ik helemaal niet. Ik voel me al schuldig als ik mezelf alleen maar vraag hoe ik dit volhoud. Ik bedoel, ik ben immers niet degene die ziek is?’
‘Maar dan is het nog wel steeds belangrijk hoe je je voelt.’
‘Is dat zo?’ Carol vraagt het op zo’n kwade toon dat ze er allebei van schrikken. Helen wendt haar blik af en Carol denkt heel even dat ze Helen schuldig ziet kijken.

59

Albert is onderzocht en heeft injecties gehad, en hij heeft nu een infuus in zijn hand. Maar nu hij niet langer bang is dat hij doodgaat, is hij opeens doodsbenauwd dat er opeens een einde is gekomen aan zijn zorgvuldig georganiseerde leventje.

Gloria is al dood, dat weet hij zeker, en er is niet veel fantasie voor nodig om zich voor te stellen wat er gebeurt met een gemeentewoning in Zuid-Londen zonder voordeur. Binnen lijkt het nu waarschijnlijk op Haïti: geplunderd en helemaal leeggeroofd, alles wat hij ooit heeft gekoesterd gestolen of gewoon op straat gegooid. De kleren van zijn vrouw, haar kussen...

De tranen springen hem weer in de ogen.

'Hou daarmee op!' zegt hij streng tegen zichzelf. Mannen horen niet te huilen, en er is zeker geen excuus voor nu hij al zoveel jaren heeft kunnen oefenen. Het komt alleen doordat zijn hele leven nu zo kwetsbaar lijkt, doordat hij zich een heel klein beetje gelukkig voelde en zich er niet eens bewust van was dat het al een verloren zaak was. De wereld is wreed en onvriendelijk, te hard en te wild voor een kwetsbaar leven als het zijne.

Het troost hem een beetje als hij bedenkt dat de meeste mensen in zijn wijk niet gauw iets zullen gaan lezen, dat ze dat misschien niet eens kunnen, zodat Carols brieven waarschijnlijk veiliger zijn dan alle andere dingen in zijn appartement, maar toch zouden ze wel zijn bezoedeld. Hij was de enige die het koekblik mocht openmaken.

'Klootzakken,' zegt hij zacht.

'Wat zeg je, lieverd?' Een verpleegkundige schuift het gordijn rondom zijn bed open. 'Lieve help, waarom huilt u? Wij helpen u wel, hoor!'

'Dat weet ik,' zegt hij, een beetje beschaamd. 'Het is... het is niets.'

Ze schudt zijn kussen op, en hij ruikt de geur van zeep en wasverzachter. 'Uw maatschappelijk werkster kan hier elk moment zijn.'

Albert schrikt. Maatschappelijk werksters zijn voor mensen die het alleen niet meer redden, voor mensen die gedoemd zijn nooit meer uit het ziekenhuis te komen. Alleen al het idee dat hij een maatschappelijk werkster heeft, suggereert chronische hulpeloosheid. Dat is de ultieme bevestiging dat hij zijn leven niet langer zelf in de hand heeft.

'Volgens mij is dat helemaal niet nodig,' zegt hij.

'Nou,' zegt ze lachend, 'dat moet u haar dan straks zelf maar eens vertellen, oké?'

Pat is niet zozeer een vrouw als wel een natuurkracht. Nog voordat ze bij hem is, kan Albert haar al bijna voelen aankomen, als een hogesnelheidstrein die de lucht voor zich opzij duwt.

'Albert!' roept ze als ze de gordijnen opzijschuift. 'Ik ben Pat. Wat leuk om je te ontmoeten.'

Ze praat met een zwaar Welsh accent, waardoor elke lettergreep juichend klinkt, alsof ze elk moment kan gaan zingen.

'Ken ik jou?' vraagt hij.

'Natuurlijk! Ik ben je maatschappelijk werkster.' Ze gaat naast zijn bed zitten en pakt zijn hand vast. 'Je moet hier waarschijnlijk nog een paar dagen blijven. Hoe voel je je?'

'Is Gloria dood?' Hij krijgt een brok in zijn keel, doet wanhopige pogingen niet weer te gaan huilen.

Pat kijkt hem nietszeggend aan.

'Gloria is mijn poes.'

'Dood? Natuurlijk is ze niet dood! Ik bedoel, het arme beest lijkt op iets uit het museum, maar ze is zeker weten niet dood.'

Het duurt even voordat Albert snapt wat ze zegt. Vooral haar glimlach stelt hem gerust. Deze vrouw is een wandelende zonnestraal. 'Waar is ze dan?'

'Nou, het heeft heel wat voeten in aarde gehad, maar we zijn erin geslaagd een opvangplek voor haar te vinden, dus alles is nu in orde.' Ze zegt dit een beetje aarzelend, alsof het een chaotische aangelegenheid is geweest, alsof Gloria van de ene plek naar de andere is gestuurd, misschien uiteindelijk zelfs helemaal zoek was.

'En je weet zeker dat we het over dezelfde poes hebben?'

'Een oudere cyperse kat? Twee gebroken pootjes? Ik weet dat je van alles tegenkomt in Londen, maar ik neem aan dat dit een uniek geval is.'

'Ik zorg goed voor haar.'

'Ja, dat is wel duidelijk.'

'Ze zat alleen maar in haar eigen uitwerpselen omdat ik niet bij haar kon komen.'

'Natuurlijk kwam het daardoor. Ze is een schatje. Daar mag je trots op zijn.' Ze rommelt in haar tas en haalt er een sleutelbos uit. 'Je voordeur is alweer gemaakt.'

'Was er niets gestolen?'

'Onder mijn verantwoordelijkheid gebeuren dat soort dingen niet, Albert!' Ze glimlacht weer naar hem. 'Als jij het goedvindt, hou ik ze even tot je hier weg mag... Lieve help, waarom huil je?'

'Ik dacht dat ze me in een tehuis of zo zouden stoppen. Je weet wel, en mijn appartement aan een stelletje Roemenen zouden geven.'

'Over mijn grote, dikke lijk. Laat je niet voor de gek houden door mijn glimlach, Albert. Ik kan in één hap een heel schaap op, met alles erop en eraan.'

Albert glimlacht door zijn tranen heen.

'Wauw,' zegt ze, 'wat heb je een prachtig gebit!'

'En mijn tanden zijn nog allemaal echt,' zegt hij blozend.

'Weet je, Albert, je bent net als ik. Je verricht wonderen. Je mag het niet verder vertellen, hoor, maar samen kunnen wij de hele wereld aan.'

60

Carol vindt niet langer dat Bobs ziekenhuis op een hotel lijkt, en zo voelt het ook niet meer. Het helpt ook niet dat ze nu niet langer alleen maar op bezoek is en dat Bob niet langer alleen maar de man-met-één-bal-minder is; probleem opgelost.

Ze was de felle verlichting en de steriele sfeer vergeten, de bijna geluidloos lopende verpleegkundigen op hun gezonde schoeisel. Ze worden naar een privékamer gebracht en onderweg ziet Carol een vrouw van middelbare leeftijd zachtjes huilen; ondanks haar discretie vindt ze het toch aangrijpend. En even later is ze verdwenen, uit het zicht doordat iemand zachtjes een deur sluit.

Het blijft lang stil, en Carol en Bob nemen elk detail van de kamer in zich op: de snel schoon te maken oppervlakken, allerlei dingen die aangeven dat zelfbeschikking ten dode is opgeschreven. Dan komt er een verpleegkundige binnen en is Bobs tijd gekomen: de naald, het prikken in een ader en ten slotte het infuus, de gestage toevoer van chemische stoffen die aangeven dat de echte oorlog nu is begonnen.

Terwijl ze wachten, bladert Bob door een paar oude nummers van het mannentijdschrift *GQ*. Zijn blik blijft discreet hangen bij de onvermijdelijke vrouwelijke modellen. Carol had gedacht dat hij emotioneler zou zijn, dat hij haar nodig zou hebben, zoals een kind een ouder nodig heeft. Daarom is ze meegegaan, dat is toch immers de reden dat ze al deze jaren bij elkaar zijn gebleven? Nu hij zich niet opwindt, begint zij zich op te winden. Ze heeft zin om iets kapot te gooien, om te hyperventileren, om gillend door de gangen te rennen tot iemand haar een kalmerend middel toedient en de pijn verdwijnt.

Al deze jaren heeft ze Bob ziek gewenst en nu ze hem willen redden is ze hulpeloos, vallen ze allebei de afgrond in tijdens een reis waar zij niet eens aan had horen beginnen.

Net als ze denkt dat ze het niet langer kan verdragen, dat zij of het ziekenhuis door vlammen zal worden verteerd, worden ze door een glimlachende verpleegkundige naar de hoofdingang gebracht en uitgezwaaid alsof ze oude vrienden zijn die even op de thee kwamen.

Vanaf het moment dat ze weer thuis zijn, blijft Carol in de keuken. Ze staart naar de vloer terwijl ze geestelijk instort. Toch slaagt ze er steeds in om druk bezig te lijken als Bob binnenkomt.

Omdat Bob bang is dat hij tijdens zijn chemokuur zijn eetlust zal kwijtraken, gedraagt hij zich als een dier dat zich voorbereidt op de winter: hij slaat calorieën op waar en wanneer hij maar kan. Nu, tijdens zijn derde bezoek aan de keuken, eet hij al het overgebleven eten op, hier een plakje ham, daar een oude donut. Hij blijft bij het raam staan. 'Alles valt uit elkaar, hè?'

'Wat zei je?'

Hij wijst naar de overkant, waar de vlag van de buren wappert in een nieuwe windvlaag.

Carol ziet dat hij heen en weer beweegt, en dat de randen langzaam maar zeker uiteenvallen in rode, witte en blauwe draden. 'Ik moet even weg,' zegt ze.

'Wil je gezelschap?'

'Nee, ik moet gewoon even boodschappen doen.' Ze weet dat ze dat gewoon kan zeggen. Voorstellen dat Bob mee kan gaan als ze boodschappen doet, is net zoiets als een vampier voorstellen knoflook te eten. Nu elk moment in zijn leven kennelijk van belang is, kan ze zich goed voorstellen dat hij nooit meer een voet in een winkel wil zetten.

'Nou, ga maar lekker je gang,' zegt hij. Hij maakt een flesje cola open en loopt de keuken uit. 'Dan ga ik nog even achter mijn computer zitten.'

Ze luistert naar zijn voetstappen en haar hart begint sneller te slaan.

Ze heeft gelogen. Tegen een man die kanker heeft. Eigenlijk doet ze dit al een hele tijd, maar vandaag is het een bewuste en eigenzinnige daad die ze heeft verricht terwijl ze zich ten volle bewust is van zijn toestand. Dit is het begin van een daad van verraad waar ze vast en zeker spijt van zal krijgen maar waar ze niet mee kan ophouden.

De reisagente is vriendelijk, maar minder vriendelijk dan ze vroeger altijd was. Ze kijkt met een argwanende blik naar Carol terwijl ze de toetsen van haar computer indrukt, elke keer met een scherpe, boze tik.

'Denkt u dat u deze keer echt op reis gaat?' Ze kijkt naar de klanten die aan het andere bureau zitten en kennelijk van plan zijn mee te luisteren. 'Ik bedoel, ik kan uw geld natuurlijk wel aannemen, maar dat is zonde als u de reis weer annuleert. U boekt, u annuleert, u boekt, u annuleert...'

'Mijn man heeft kanker.'

Dit verklaart niet waarom ze in haar eentje op reis wil, maar het is haar aan te zien dat het waar is wat ze zegt; zelfs zij weet dat.

Iedereen knikt ongemakkelijk en probeert elkaars blik te ontwijken. Zelfs Carols reisagente begint zacht te typen, hoewel haar felgekleurde nagels ongeschikt lijken om subtiel te zijn.

En de hele tijd maalt dezelfde gedachte door Carols hoofd: Ik ben een slechte vrouw. Ze wacht al jaren op het juiste moment om Bob te verlaten en nu heeft ze het slechtst mogelijke ogenblik uitgekozen. Toch lijkt het geen optie meer om te doen wat juist is; niets is juist. Het enige wat nog rest is een bepaalde mate van verdriet, van egoïsme, van pijn.

Onderweg naar huis probeert ze het goed te maken met een bezoekje aan de supermarkt en wijdt dit helemaal aan Bob. Het is een zwakke geste, dat begrijpt ze ook wel, maar het is een hele troost dat de keukenkastjes nog lang nadat zij is vertrokken vol zullen staan met zijn lievelingseten.

Tegen de tijd dat Carol weer thuis is, is Bob zo verdiept in *World of Warcraft* dat hij niet in staat lijkt het echte leven waar te nemen. Zelfs als hij even pauzeert om weer iets te eten, lijkt het hem geen zorgen te baren dat Carol is thuisgekomen met vijftien boodschappentassen vol eten dat alleen voor hem bestemd is.

'Wauw, dit is mijn geluksdag,' zegt hij, en hij opent een zak krentenbollen. Hij stopt er een in zijn mond, zodat hij zijn handen vrij heeft voor twee blikjes cola en een pakje kaas, en loopt terug naar de woonkamer.

Deze ritmische eb en vloed van junkfood en lui internetten, kenmerkt de rest van de avond. Tegen een uur of halfelf is hij dan ook een lichamelijk wrak en zelfs niet meer in staat nog langer naar het computerscherm te staren.

'Volgens mij kun je maar beter naar bed gaan,' zegt Carol.

'Misschien heb je wel gelijk. Hoe laat ga jij?'

'Later. Ik wil nog even mijn hoofd leegmaken.'

Zelfs nadat hij de woonkamer heeft verlaten, blijft Carol roerloos zitten. Ze wacht tot ze zeker weet dat hij op bed ligt. Daarna zet ze de computer aan, met een geheimzinnig gebaar dat alleen maar wordt veroorzaakt doordat ze zich schuldig voelt...

Richards foto is niet flatteus, dat ziet ze nu. Zijn echte aard, zijn levendigheid, die heeft de camera niet kunnen vastleggen. Het enige wat wel te zien is van de man die zij zich herinnert, is zijn glimlach. Deze foto is gehaast gemaakt, achter in een taxi, toen hun leven samen opwindend en onwankelbaar leek.

Ze zoomt in op de foto, en ze kijkt naar het gezicht waar ze ooit van heeft gehouden, dat ze heeft gekust en vastgehouden, en waar ze naar heeft verlangd. Ze zoomt nog verder in tot zijn rechteroog het hele scherm vult; een verstoord beeld van pixels van iets wat ze is kwijtgeraakt.

Hoewel ze nog altijd niet weet hoe ze moet zeggen wat gezegd moet worden – wat al vele jaren ongezegd is gebleven – pakt ze een pen en begint te schrijven.

61

Het is fijn om hier weer te zijn, en daarom maakt het ook niet uit dat het een koude en grauwe dag is. Dat is nu eenmaal zo op een kerkhof. Voor de functie van een kerkhof is dat niet belangrijk; dat is niet afhankelijk van zonlicht of schoonheid. Ergens voelt het als een troost nu Carol naast Richards graf zit en de kou door de zolen van haar schoenen kruipt, zodat haar voeten gevoelloos worden.

Het is al heel lang geleden dat ze hier was. Vroeger kwam ze hier vaak, maar dat hielp niet; haar niet en hem al helemaal niet. Je kunt niet eeuwig je excuses aan een grafsteen aanbieden voordat je je realiseert dat het te laat is.

Helen heeft haar gered. Toen Helen zag dat Carol helemaal kapotging aan haar verdriet, heeft zij haar ervan kunnen overtuigen dat ze het moest loslaten.

Maar Carol heeft het niet echt losgelaten. Een deel van haar is al deze jaren op dit kerkhof gebleven, is stiekem aan het verleden blijven denken, is blijven wensen dat ze het allemaal terugkreeg en dat ze de kans kreeg het allemaal anders te doen.

Ze denkt dat het allemaal beter zou zijn geweest als ze hier echt was gebleven. Misschien was ze dan een beter mens geworden, een betere moeder. Dan had ze tenminste ergens voor gestaan, dan was ze in elk geval eerlijk tegen zichzelf geweest.

'Waar is Carol?' zouden de mensen dan vragen.

'Op het kerkhof natuurlijk!' Alsof het de normaalste zaak van de wereld was dat een jonge vrouw de rest van haar leven aan een granieten grafsteen wijdde.

Ze zou aan het einde van haar leven een kribbige oude dame zijn geworden, die nog altijd naast Richards graf kampeerde, verweerd en egocentrisch. Altijd hier, net als de doden zelf, maar een op een vreemde manier troostende aanwezigheid voor de mensen die de graven in de buurt bezochten.

'Sorry,' zegt Carol en ze veegt wat modder van Richards grafsteen. 'Ik heb je verwaarloosd.'

Ze bloost, nog altijd verlegen in zijn aanwezigheid.

'Maar je ziet er goed uit, alles in aanmerking genomen.'

Instinctief geeft ze hem tijd om te antwoorden en glimlacht om de stilte, omdat die van hem is.

'Ik heb Sophie geschreven. Waarschijnlijk zijn het de grillen van een oude vrouw, maar volgens mij is het een stap in de goede richting. Daardoor lijk ik wel een beetje op een hoer, eerlijk gezegd – dat ik een getrouwde moeder was toen ik verliefd op je werd – maar ze moet weten wat ik voor haar heb opgeofferd. Anders heeft niets in de afgelopen vijftien jaar zin gehad. Misschien kan ze er zelfs iets van leren, dat je je hele leven kunt proberen andere mensen gelukkig te maken, maar dat je daardoor juist iedereen teleurstelt, ook jezelf. Ik weet wel dat ik gewoon met haar had moeten praten, maar...' Ze zucht, haar chaotische leven dreigt dit bezoek te bederven. 'Dus doe ik die brief maar gewoon op de post. Ze heeft haar eigen brievenbus, kun je nagaan. Dat is zogenaamd iets tienerachtigs, iets wat met privacy te maken heeft, hoewel ik niet begrijp waarom ze al die moeite neemt. Ik weet zeker dat ze alleen post van Mensa krijgt...' Ze houdt opeens haar mond. 'Zie je wel? Zo'n moeder ben ik nou. Altijd kritiek en hatelijke opmerkingen. Al mijn dromen komen uit.'

Ze kijkt om zich heen, maar er is niemand te zien.

'Ik wil een knuffel, vind je dat goed?'

Ze probeert haar jas niet vies te maken, gaat zitten en leunt achterover tegen de grafsteen, eerst langzaam, doodsbang dat hij omvalt, maar hij voelt stevig verankerd achter haar. Het voelt net zoals toen ze bij hem in bed lag. Daardoor ontspant ze zich en legt ze haar hoofd tegen het koude graniet. Ze stelt zich voor dat ze Richard terug heeft, daar, op die kille aarde. Dat hij zijn armen om haar heen slaat. Dat hij in haar komt.

'Vannacht heb ik me iets gerealiseerd. Toen ik besloot bij Bob te blijven, zei ik eigenlijk dat het oké was om een kind in een liefdeloos thuis te laten opgroeien. Daarmee was ik als moeder al mislukt voordat ik echt begonnen was. Dat besef ik nu pas, jaren later.'

Er vliegt een groepje vogels over haar heen. Als ze hen in de verte ziet verdwijnen, merkt ze dat haar gedachten met hen mee de lucht in gaan en nu vrijelijk zweven tussen het verleden en het heden, tussen leven en dood.

'Sophie zag laatst je foto. Daardoor dacht ik terug aan die dag in het park...' Ze glimlacht bij die herinnering, ze denkt terug aan alles wat ze deed om niet ontdekt te worden; ze vond een park dat zo ver van Croydon en iedereen die ze kende vandaan lag, dat ze bijna de hele dag nodig had om heen en weer te reizen. En toch had die heimelijkheid deel uitgemaakt van het plezier. Zelfs de reis was prettig geweest omdat ze samen waren en zich in het openbaar vertoonden alsof ze de trotse jonge ouders waren van hun eigen prachtige kind.

'Sophie vond je aardig, dat weet ik nog...' Zelfs als ze zichzelf dat hoort zeggen, proeft ze de bittere ondertoon, een waarheid die ze al jaren ontkent. Sophie had behoefte aan haar eigen vader, was dat niet de reden van de afgelopen achttien jaar? En toch is het achteraf gezien zo duidelijk dat ze die dag in het park duizend keer hadden kunnen beleven: Richard die van Sophie hield alsof ze zijn eigen kind was, en Sophie die tevreden kirde omdat ze wist dat ze bij gelukkige mensen was.

Carol wás gelukkig, dat kan ze nu toegeven. Gelukkig met Richard natuurlijk, maar ook gelukkig met Sophie. Moeder en dochter speelden samen zonder dat ze zich ook maar ergens zorgen over maakten.

'Ik wil met je trouwen.' Dat had hij die dag gezegd toen ze met z'n drieën op het gras lagen.

'Ik ben al getrouwd.'

'Nee, dat is niet zo. Je bestaat alleen maar. Ik vraag je of je wilt leven. Jij en Sophie en ik.' Het was kenmerkend voor Richard dat hij kritiek op haar leven kon uitoefenen, met een glimlach op zijn gezicht. 'Ga van hem scheiden. Trouw met mij.'

'Kunnen we op huwelijksreis naar Athene?'

'Aha, romantiek tussen de oudheden...'

'Ik wil het Parthenon zien. Ik wil je in het Parthenon kussen.'

Nu bederft Bob het ogenblik, net als vroeger. Hierdoor wordt ze terug geslingerd in de realiteit, terug naar de koude grond van een vochtig kerkhof en wordt de man van wie ze heeft gehouden gereduceerd tot een brok steen achter haar. Ze draait aan haar trouwring, zich ervan bewust dat de tijd haar door de vingers glipt, zoals altijd.

'Bob heeft kanker. Maar gelukkig niet dezelfde soort als jij had. Ik vraag me weleens af of het universum me iets wil zeggen. Hoewel het dit beter tegen de mannen in mijn leven kan zeggen: "Word niet verliefd op deze vrouw, want dan ga je dood."'

'Ik denk dat ik heb geprobeerd voor hem te zorgen als compensatie voor wat ik niet voor jou heb kunnen doen. Omdat ik niet bij je was om dat voor jou te kunnen doen.' Ze glimlacht verdrietig. 'Het is wel vreemd, als je erover nadenkt. Het spijt me al jaren dat ik niet voor mijn dertigste verjaardag weduwe ben geworden. Toch denk ik nog altijd dat jij niet zou zijn gestorven als ik er wel voor je was geweest.'

Ze haalt diep adem, probeert de herinneringen weg te drukken naar een plaats waar de pijn minder hevig en acceptabel is.

'Daarom heb ik Sophie die brief geschreven, om schoon schip te maken. Om haar te laten weten dat het niet haar schuld is dat alles zo is gelopen, maar de mijne. De waarheid is dat ik, nadat ik jou had verlaten, van niemand meer kon houden.'

62

Officieel is dit Alberts laatste werkdag, maar iedereen weet dat hij eigenlijk al weg is. Albert is de enige die zijn afwezigheid vreemd vindt. Voor ieder ander is het een gewone werkdag.

Zoals altijd staat de sorteermachine midden in de ruimte te dreunen en sorteert de enveloppen met een snelle alwetendheid. Zelfs als Albert er die ochtend was geweest, had hij Carols brief niet door de machine kunnen zien vliegen: de envelop was wel met haar opvallende handschrift beschreven, maar deze keer was hij aan Sophie geadresseerd en ontbrak de smiley.

Binnen een fractie van een seconde is de brief gesorteerd en wordt hem de weg bespaard naar een afvalbak in een stoffig achterkamertje.

Wat dat betreft heeft Albert altijd gelijk gehad met zijn mening over dit apparaat: hij kan geheimen bewaren.

63

Geen bagage die ze moet inchecken. Dat is niet alleen handig, maar ook nodig, essentieel. Wat heeft het voor zin als ze vertrekt en toch een koffer vol met haar oude leven meezeult? Dus neemt ze alleen een kleine tas mee, met spullen voor de eerste dagen, tot ze heeft bedacht wat ze daarna gaat doen.

Bovendien kan ze daardoor ongemerkt het huis uitglippen, hoewel ze – terwijl ze de minuten tot haar vertrek aftelt – zichzelf nog steeds wijsmaakt dat ze het Bob zal vertellen. Ze zullen een rustig, rationeel gesprek voeren over haar behoefte om een einde aan hun huwelijk te maken, en daarna zal ze met een zuiver geweten naar het vliegveld kunnen gaan in de wetenschap – op een bepaalde manier – dat ze het juiste heeft gedaan.

Langzaam zet ze koffie. Ze is zich ervan bewust dat dit de laatste keer is dat ze deze waterkoker, deze lepel, deze keuken gebruikt. Elk ogenblik heeft nu een bepaalde betekenis, de seconden die verstrijken maken zelfs de eenvoudigste handeling belangrijker. Nog tien minuten, en het zou haar niet verbazen als de wereld onder druk hiervan zou bezwijken.

Bob zit zoals gewoonlijk aan de eettafel, verdiept in zijn andere echte wereld. Als Carol naar hem kijkt, verbaast het haar dat ze tedere gevoelens voor hem heeft. Dit is een man die tijdens hun hele huwelijk visueel, mentaal en vooral emotioneel een teleurstelling is geweest, maar toch voelt ze nu de behoefte hem te beschermen, hem in watten te verpakken en hem op een veilige en warme plaats te stoppen zodat hij de rest van zijn leven vredig kan leven.

Ze gaat tegenover hem zitten, het tafelblad tussen hen in ligt bezaaid met lege colablikjes en oude broodkorsten – een voorbode van hoe zijn leven eruit zal gaan zien.

Nog vijf minuten.

Ik ga het hem echt vertellen.

'Ik ga straks weg.'

'O?' Hij kijkt even op, met een glazige blik.

'Red je het wel alleen?'

'Tuurlijk.' Hij richt zijn aandacht weer op de computer, en redt prinsessen en overwint het kwaad in een wereld waar alles veel eenvoudiger en veel duidelijker is dan in het echte leven.

'Oké,' zegt ze. 'Nou... Tot ziens dan.'

Ze staat op, aarzelt nog even, twijfelt of ze dit echt kan doorzetten, maar Bob is zo verdiept in zijn computerspel dat hij dat niet eens merkt.

64

Het leven in het ziekenhuis heeft een bepaalde regelmaat die Albert aan het leger doet denken. Niet omdat ze 's ochtends om vijf uur worden gewekt door een sirene en ook hoeft hij zijn eigen bed niet op te maken, maar toch heeft de dag een vast patroon. Daardoor weet hij hoe laat het is alleen maar door te luisteren naar wat er gebeurt: de artsen die hun ronde doen, de maaltijden die worden rondgebracht, de bezoekers die komen en gaan.

Pat heeft geen tijd om vandaag bij hem op bezoek te komen en daarom probeert hij een boek uit de ziekenhuisbibliotheek te lezen, *The Man in the Iron Mask*. Tijdens het lezen komt hij steeds meer tot de ontdekking dat dit niet echt geschikt leesvoer is voor iemand die zelf eigenlijk ook een gevangene is.

'Eindelijk weer eens tijd om te lezen, Albert?'

Darren staat naast zijn bed, en ziet er bijna verloren uit zonder zijn clipboard en zakelijke autoriteit. Hij beweegt zich een beetje stijf, alsof hij een belangrijke taak moet afhandelen. Dat de sociale dienst Carols brieven heeft gevonden misschien en dat aan de Royal Mail heeft gemeld, of zelfs aan de politie.

'Is alles in orde?' vraagt Albert. Hij is zo nerveus dat hij begint te hoesten, zodat zijn hele bed rammelt.

'Dat zou ik jou moeten vragen!'

'Hoezo?' hijgt Albert.

'Jij ligt in het ziekenhuis, Albert. Ze zeiden dat je wel dood had kunnen gaan.'

'O, dat!' zegt hij, opgelucht. 'Nee hoor, het gaat uitstekend met me. Het was maar een virus.'

Even is het stil, maar Darren lijkt nog steeds gespannen. 'Eerlijk gezegd ben ik hier in functie.'

Albert verstijft weer als Darren zich omdraait om iets te pakken. Als hij weer met zijn gezicht naar Albert toe staat, heeft hij een pakje in zijn handen, verpakt in vrolijk gekleurd papier en versierd met gekrulde linten; duidelijk veel te vrouwelijk naar Darrens smaak.

'Een van de meiden op kantoor heeft dit ingepakt,' zegt hij, zo luid dat iedereen in de kamer het kan horen.

'Het ziet er prachtig uit.'

'En hier heb je een kaart, iedereen heeft hem getekend. We hadden misschien ook een beterschapskaart moeten kopen, maar deze ging al rond toen we het hoorden. Zonde om hem weg te gooien.'

'Nee, hij is mooi. En trouwens, ik wil er toch zeker niet aan worden herinnerd dat ik ziek ben?'

'Nou, een paar mensen wensen je op deze kaart ook beterschap.'

'O, natuurlijk. Ik bedoel, het gaat om het idee, toch?'

Snel leest hij de vele gekrabbelde groeten. Veel ervan zijn zo slecht leesbaar dat hij misschien de rest van zijn leven bezig zal zijn ze te ontcijferen. Alleen Mickeys berichtje springt eruit; zijn handschrift is al even duidelijk als de tekst: 'Je bent bijna dood, vergeet dat niet. Maak het beste van de rest van je leven.'

'Wat aardig,' zegt Albert. 'Dankjewel.'

'En eh... nou, je weet wel... het is nooit leuk om te horen dat iemand ziek is, vooral niet als ze oud zijn, en dus hebben we een collecte gehouden.' Hij geeft Albert een envelop. Onderin rinkelen een paar munten, maar de rest is een dikke stapel bankbiljetten. Albert zit er met open mond naar te kijken.

'Het is maar een kleinigheidje. Ik bedoel, boven op alles wat je sowieso krijgt omdat je met pensioen gaat. Dat zal de financiële administratie wel afhandelen.'

'Ik weet niet wat ik moet zeggen. Echt niet.'

Nu ontspant Darren zich, waarschijnlijk doordat hij ontroerd is door Alberts dankbaarheid of misschien door de wetenschap dat het einde van zijn bezoek in zicht is. 'Je hebt je cadeau nog niet opengemaakt.'

Albert bloost, hij is niet gewend aan zoveel aandacht. Hij tilt het pakje op, drukt het zachtjes in. Onder het glanzende pakpapier voelt het zacht aan. Als hij het papier eraf trekt, komt er een manchet tevoorschijn, en een kraag. Zelfs voordat een kwart van het pakpapier eraf is, houdt Albert op met uitpakken en kijkt er alleen maar naar. Een splinternieuwe Royal Mail-jas!

'We dachten dat je eigen jas inmiddels wel een beetje te oud zou zijn. Hier kun je het nog eens veertig jaar mee doen.'

Alberts ogen beginnen te tranen en zelfs Darren glimlacht nu. Hij ziet er zo menselijk en vriendelijk uit dat Albert er spijt van heeft dat hij hem al die jaren een klojo heeft genoemd.

'Het is wel jammer dat je je eigen feestje bent misgelopen,' zegt Darren, 'maar we hebben een toost op je uitgebracht.'

'Je hebt het dus niet afgelast?'

'Ach, weet je, een paar jongens hadden zich er echt op verheugd.' Hij aarzelt, alsof hij er spijt van heeft dat hij erover is begonnen. 'Je weet toch dat ze allemaal gek zijn op thee met gebak.'

'Ik ben blij dat jullie je hebben vermaakt. Wil je iedereen namens mij bedanken? Voor dit en voor alles. Voor een carrière waar ik trots op was.'

'Het was een eer, Albert.' Darren geeft hem met een verrassende hartelijkheid een hand. 'Vergeet niet om ons af en toe op te zoeken.'

Albert luistert als Darren wegloopt, aan het geluid van zijn voetstappen is gewoon te horen dat hij een bezoeker is. Iemand uit de wereld buiten, iemand die iets te doen heeft en indruk moet maken.

En niet zomaar een bezoeker, denkt Albert glimlachend, maar míjn bezoeker.

65

Zo zou het niet moeten zijn. Jarenlang is het vooruitzicht dat ze in haar eentje naar Athene zou reizen het licht aan het einde van Carols tunnel geweest, de belofte van een leven na de dood. Maar in werkelijkheid zit ze nu met rode en gezwollen ogen in haar hotel, nadat ze bijna de gehele vlucht en de taxirit naar de stad heeft gehuild.

Bob heeft haar afscheidsbrief waarschijnlijk al uren geleden gevonden. Ze had hem naast een paar donuts in de keuken gelegd. Het was geen lange brief, maar ze is er vrij zeker van dat hij de rest van de dag niet meer aan *World of Warcraft* heeft gedacht. Inmiddels zal de realiteit van de situatie wel tot hem zijn doorgedrongen: zijn eerste nacht alleen, de eerste van vele.

Als ze er alleen al aan denkt dat hij huilt, moet Carol nog erger huilen. Niet van spijt om wat ze vandaag heeft gedaan, maar om wat ze de afgelopen twintig jaar heeft gedaan: ze heeft een web geweven dat zo stevig was dat ze niet weet of een van hen zich er ooit uit zal kunnen bevrijden.

Carol heeft zich nooit gerealiseerd dat het 's winters ook in Griekenland koud kan zijn. Koeler wel natuurlijk, maar niet koud. Ze heeft altijd gedacht dat de mensen hier 's winters niet aan een hartaanval doodgaan, maar vrolijk in een korte broek over straat lopen. Op elke foto die ze van Griekenland heeft gezien, lijkt het landschap veel te verschroeid door de zomerzon om koude, natte dagen te kennen. En toch is ze nu in Athene en voelt het weer absoluut niet beter dan in Londen. Behalve dan dat ze, als ze nu in Londen zou zijn geweest, naar huis kon gaan en in een warme pyjama een boek kon lezen. Dat zou ze ook in Athene kunnen doen, maar ze heeft haar warme pyjama niet meegenomen. En zelfs als ze dat wel had gedaan, is haar hotel niet echt een plek waar ze die zou willen aantrekken. Het is er donker en koud, meer geschikt voor een ascetische retraite, een plek waar je je vrijwillig van eten en water onthoudt, of aan zelfkastijding doet als boetedoening voor een vreselijke zonde. Zelfs het bed lijkt speciaal ontworpen als bestraffing; een plek waar je 's nachts wakker hoort te liggen terwijl je je afvraagt wanneer het mis is gegaan in je leven.

Het zou fijn zijn als ze kon zeggen dat Athene zelf alles goedmaakt, maar dat is niet zo. Carol is helemaal niet in de stemming om de stad te bekijken, maar het weinige wat ze van de stad heeft gezien, lijkt op Croydon; met veel afval, de perfecte achtergrond om je dagenlang ellendig te voelen.

Ze heeft zo'n behoefte aan troost, dat ze Helen opbelt.

'Carol, waar zit je?'

'In Athene.'

'Verdorie, Carol. Iedereen is doodongerust om je.'

'Het gaat goed met me,' zegt ze en ze begint meteen te huilen. 'Hoe gaat het met Bob en Sophie?'

'Niet geweldig, maar zij overleven het wel. Ik maak me vooral zorgen om jou.'

'Het gaat goed, echt waar. Ik wil gewoon... O, ik weet het niet!'

'Je had me moeten vertellen dat je wegging.'

'Ik wilde niet dat je me zou tegenhouden.'

'Ja, ik weet wel dat ik een slechte vriendin ben.'

'Dat bedoel ik helemaal niet.'

'Maar het is wel zo. Luister, er is iets wat ik je vorige week niet heb verteld en daar voel ik me heel erg schuldig over.' De gedachte dat Helen achterbaks kan zijn, is zo schokkend dat Carols tranen beginnen op te drogen. 'Het gaat over je droom.'

'God, Helen, is dat alles?'

'Maar ik weet wat hij betekent. Dat heb ik altijd al geweten. Zodra je het me vertelde, wist ik het. En ik heb tegen je gelogen. Ik heb me zo schuldig gevoeld dat ik je vannacht zelfs een brief heb geschreven en die in de tuin heb verbrand.'

'Dan is het dus niet vreemd dat ik hem niet heb gekregen.'

'Luister, in je droom ben jij je moeder. Dat is misschien je onderbewuste dat je vertelt dat je vroegere leven voorbij is. Het is tijd dat je accepteert dat je bent wie je echt bent.'

'Dat ik wat ben? Een totale mislukking?'

'Caro...'

'En een egoïstische trut?'

'Dat ben je allemaal echt niet!'

'Zo voel ik me nu wel.'

'Dat komt doordat je bent weggelopen. Dingen kunnen niet zomaar verbeteren alleen maar doordat je vier uur in een vliegtuig hebt gezeten.'

'Ik kan niet teruggaan.'

'Dat zeg ik ook niet. Je kunt wel een tijdje bij mij wonen, zolang je wilt.' Stilte. 'En zonder lesbisch *Fatal Attraction*-gedoe, dat beloof ik je. Kom maar gewoon terug en dan zoeken we het samen uit, heel rustig aan.' Nog steeds geen reactie. 'Het spijt me alleen dat ik het je niet eerder heb verteld.'

'Dat geeft niet.'

'Echt wel! Ik was zo bang je te verliezen, dat ik je wel in een kooitje wilde stoppen of zo. Jij bent al zo lang ongelukkig en toch dacht ik alleen maar aan mezelf...' Haar stem trilt. 'Ik kon de gedachte dat je weg zou gaan niet verdragen...'

Ze zwijgen; twee vrouwen met tranen in hun ogen, tegen een tarief van drie pond per minuut.

'Heb ik alles verknald?' vraagt Carol.

'Tja, dit is niet het slimste wat je ooit hebt gedaan, dat moet ik toegeven. Maar je hebt gelukkig niemand vermoord.'

'Ik kón gewoon niet blijven. Dat was onmogelijk!'

'Het is oké, Carol, echt waar. Ik weet nog niet hoe, maar we vinden wel een oplossing.'

66

Albert heeft nog geen week in het ziekenhuis gelegen, maar vanuit zijn veilige bed lijkt de buitenwereld een gevaarlijke, onvoorspelbare plaats, zodat zelfs het idee dat hij naar huis mag een akelig vooruitzicht is geworden.

'Maak je niet druk, dat is normaal,' zegt Pat vlak voordat ze vertrekken. 'Zodra je thuis bent, vraag je je af waarom je je zo druk hebt gemaakt.'

Misschien is dat wel zo, maar niet als ze voor zijn flatgebouw staan. Pat haalt zijn spullen uit haar auto, en hij voelt zich ongelooflijk geïntimideerd. De wijk lijkt onheilspellend, een grauwe en dreigende plaats vol kapotte ruiten en graffiti.

'Eindelijk thuis!' zegt Pat zonder een spoortje ironie. 'Volgens mij zit er boven iemand op je te wachten.'

'Gloria? Is zij er al?'

Het vooruitzicht dat hij Gloria weer zal zien, maakt zelfs de naar urine stinkende lift acceptabel. En als de liftdeuren op zijn verdieping openschuiven, staat Max er ook. Albert vindt het op een vreemde manier een geruststelling dat het leven gewoon doorgaat.

'Dat is mijn buurman,' zegt Albert. Hij zwaait vrolijk naar Max, maar die lijkt hem niet te herkennen. Hij schuifelt zijn huis in, als een zenuwachtig dier dat dekking zoekt. Tegen de tijd dat ze langs zijn voordeur lopen, is het zo stil dat het lijkt alsof er niemand thuis is. Zelfs de bloemen getuigen van nalatigheid, hun schreeuwende kleuren zijn al vervaald doordat ze zijn verwaarloosd.

De emoties tijdens Alberts weerzien met Gloria doen denken aan die van twee geliefden die elkaar lang niet hadden gezien. Toch schaamt hij zich niet. Deze poes betekent alles voor hem. 'We zijn bijna samen gestorven, nietwaar? Wat een avontuur.' Hij aait haar nog steeds als hij naar de muur boven het raam kijkt. 'De vochtplek is verdwenen!'

'Als er weer eens iets moet gebeuren, moet je me dat even laten weten.'

'Ik weet niet hoe ik je moet bedanken,' zegt hij, zich niet bewust van het feit dat een groot deel van de muur nu in een totaal andere kleur is geverfd dan de rest. 'Je krijgt een kerstcadeautje van me, dat beloof ik je.'

'Als je maar geen trui voor me gaat breien. Daar heb ik er al meer dan genoeg van, van mijn zus.' Ze beent naar de voordeur. 'Volgens mij voel je je al helemaal thuis, jongeman. Over een paar dagen kom ik wel even langs om te zien hoe het met je gaat.'

'Dan zorg ik voor thee met gebak.'

Pat zegt opgewekt: 'Daar zeg ik geen nee tegen.' Ze blijft even in de deuropening staan en zegt quasistreng: 'Denk erom, het is koud buiten, dus je mag niet weer buiten gaan ronddolen. Begrepen?'

67

Carol heeft Helen – verstandige Helen – haar telefoonnummer gegeven nadat ze het erover eens waren dat Bob en Sophie moeten weten waar ze is. Dat ze misschien zelfs willen praten, en dat zij dat eigenlijk ook zou moeten, of dat nu een prettig gesprek zal worden of niet. Dus als de telefoon gaat, denkt ze dat het Bob wel zal zijn.

Ze laat hem even overgaan, geschrokken van het schrille geluid. Dit geluid belooft niet veel goeds voor het komende gesprek. Zelfs als ze de telefoon opneemt, weet ze niet hoe ze moet zeggen wat ze moet zeggen.

'Bob?'

Ze hoort Deirdres stem, woedend. 'Carol? Je moet je schamen.'

'Moeder...'

'Hoe kón je, Carol? Wat dácht je wel?'

Carol doet haar ogen dicht, ze weet niet eens zeker of ze een antwoord probeert te bedenken of dichtklapt. Haar hele lichaam desintegreert door deze woede-uitbarsting.

'En Bob is ziek,' zegt Deirdre.

'Hij heeft het je verteld...'

'Iemand moest het me vertellen! Jij vond dat kennelijk niet belangrijk. Ik kan gewoon niet geloven dat je hem in de steek hebt gelaten...'

'Ach, kom nou! Bob is een volwassen man. Ik weet dat het stom van me was, maar eigenlijk was het al stom van me dat ik met hem ben getrouwd. Ik zou denken dat mijn eigen moeder dat wel zou begrijpen.'

'Bob is goed voor je geweest. Je mag jezelf gelukkig prijzen met zo'n man.'

'Luister je eigenlijk weleens naar me? Ik hou niet van hem! Ik heb nooit van hem gehouden!'

'Je bent met hem getrouwd.'

'Omdat ik zwanger was! Je hoeft toch niet van iemand te houden om met iemand te neuken?'

'Gebruik alsjeblieft niet zulke woorden.'

'Hij heeft met me geneukt, ik werd zwanger en in een vlaag van verstandsverbijstering dacht ik toen dat ik het aan iedereen verplicht was om de rest van mijn leven met hem door te brengen. Ik weet niet wanneer jij precies hebt besloten dat het liefde was, maar dat is altijd al jouw probleem geweest, nietwaar? De gekste dingen geloven.'

'Ik weet dat je geen hoge dunk van me hebt.'

'Eindelijk zeg je iets verstandigs.'

'Nou, misschien ben ik ook wel teleurgesteld in jou.'

'Ja, maar het verschil is dat jij niet de behoefte hebt om met iedere man in Croydon het bed in te duiken, alleen maar om bij mij uit de buurt te zijn.'

Stilte aan de andere kant van de lijn, een verbijsterde stilte. Dan komen de tranen, Deirdres zakdoek dempt haar woorden: 'Waarom doe je altijd zo gemeen tegen mij?'

'En waarom kunnen we nooit eens eerlijk tegen elkaar zijn? Ik heb het gevoel dat ik de plaats van misdrijf van mijn leven aan het onderzoeken ben en overal jouw vingerafdrukken tegenkom.'

'Nou, misschien ben ik ook niet gelukkig. Heb je daar weleens aan gedacht? Misschien heb ik dit leven ook nooit gewild: jou, je vader. Ik wist dat ik een vergissing beging toen ik naar het altaar liep, maar daar hoor je mij niet over zeuren.' Als haar woorden wegsterven, als de tijd lijkt stil te staan, is het net alsof Athene tot stilstand komt. 'Daarom verlang ik naar de wederkomst van de Heer,' voegt ze eraan toe, en haar stem klinkt steeds meer als de stem van een eenzaam, verdwaald kind. 'Daarna zal alles goedkomen.'

Voor het eerst van haar leven wilde Carol dat ze bij Deirdre was, niet omdat ze naar haar verlangt, maar om haar te knuffelen en haar te vertellen dat dit leven – het enige leven dat ze ooit zal hebben – heel veel beter zou kunnen zijn als ze dat echt zou willen. Maar doordat Deirdre niet als een volwassen vrouw kan denken, heeft het geen zin het opium van haar religieuze overtuigingen te analyseren of te bespreken op welke manier haar verleden haar heden heeft beïnvloed. Biologisch gezien is Deirdre een moeder, maar in elk ander opzicht moet Carol de ouderrol vervullen, dat begrijpt ze nu. En als zij de ouder kan zijn die haar eigen moeder nodig heeft, dan kan ze misschien ook wel de ouder zijn die Sophie nodig heeft.

'Luister,' zegt Carol, met een overtuigingskracht en een zelfverzekerdheid waarvan ze niet eens wist dat ze die bezat, 'het spijt me dat je een ongelukkig leven hebt gehad, maar je moet me helpen als we onze relatie willen redden.'

'Het is altijd fijn om je te zien.'

'O, dankjewel, maar het gaat echt wel verder dan dat. Een goede band is iets waar je iets voor moet doen, niet iets wat zomaar ontstaat.'

'Ja, ja natuurlijk.'

'Ten eerste moet je liever zijn voor papa, ondanks alles wat hij in het verleden heeft gedaan. We moeten allemaal de schouders eronder zetten, oké? We moeten elkaar vergeven en helemaal opnieuw beginnen.'

'Ja...'

Haar stem sterft weg in een stilte die smeekt om de woorden die Carol nooit verwacht had te zullen zeggen – die ze griezelig vindt om te zeggen – maar het is tijd om de confrontatie aan te gaan met die angst.

'Ik hou van je, weet je dat eigenlijk wel?' Ze hoort dat Deirdre weer begint te huilen. 'Dat heb ik niet altijd gewild, en eerlijk gezegd heb je me dat ook nooit gemakkelijk gemaakt, maar het is wel zo. Ik weet niet wanneer ik terugkom, maar dan kunnen we praten.'

'Dat zou fijn zijn.'

'Ja,' zegt Carol, verbaasd dat zij het meent, 'ja, dat is zo.'

68

Pat had gelijk over zijn thuiskomst. Het is nu avond en Albert zit voor de tv, natuurlijk met het geluid uit. Hij realiseert zich hoe gelukkig hij eigenlijk is. Het koekblik staat op zijn schoot, en het begin van een nieuwe vriendschap is binnen handbereik. Naast hem zit Gloria tevreden te spinnen in een vers nest van toiletpapier.

Nu zijn leven weer normaal is geworden, is Carol de voor de hand liggende stap. Pat wil weliswaar niet dat hij op straat ronddoolt, maar dat geldt natuurlijk niet als hij weet waar hij naartoe gaat. En bovendien heeft hij nu een heerlijk warme jas.

Hij hijgt een beetje en begint te hoesten. 'Ik denk dat ik er morgen maar naartoe ga. Misschien neem ik het hele koekblik wel mee. Wat vind jij?' Hij kijkt naar Gloria, zijn raadgever in alles. 'Hmm, ja misschien heb je wel gelijk. We moeten niet overdrijven, hè? Eén brief is meer dan genoeg.'

69

Carol heeft het kapotgemaakt, dat weet ze nu zeker. Ze heeft haar leven onhandig opengebroken, maar daardoor is er een beetje licht naar binnen gevallen, zodat ze nu kan zien hoe het leven ook kan zijn.

Ze zijn nog steeds vaag, deze eerste optimistische lichtstralen. Ze zijn zeker nog niet sterk genoeg om het ziekmakende gevoel weg te nemen dat ze zichzelf belachelijk heeft gemaakt en tegelijkertijd de gevoelens van iedereen die haar na staat te kwetsen. Maar als ze op een ochtend wakker wordt, gelooft ze in elk geval dat er een weg door de puinhopen loopt.

Bob heeft nog steeds niet gebeld, en zijn stilzwijgen zegt meer dan een telefoontje zou kunnen. Hij heeft de afgelopen twee dagen waarschijnlijk troost gezocht bij zijn lievelingseten, zodat het huis inmiddels wel vol zal liggen met lege colablikjes en plastic verpakkingen. Het zal een kwestie zijn van dagen, misschien zelfs van uren, voordat de builenpest zal uitbreken die van Croydon een spookstad zal maken, een etterend massagraf vlak bij de M25.

Hoewel het tegen haar gevoel in gaat, pakt ze de telefoon en belt ze hem. Ze zou zichzelf veel liever met een verroest zwaard doorboren, maar dit is ze hem verplicht. Dat realiseert ze zich heel goed.

De telefoon gaat een paar keer over voordat Bob opneemt, alsof hij niet kan beslissen of hij wel wil praten of doordat de telefoon te midden van de chaos niet te vinden is. 'Hallo?' Zijn stem klinkt zwak, broos, verloren.

'Bob, met mij.'

Stilte.

'Het spijt me, Bob.'

'En daar kom je nu pas achter?'

'Ik ga een tijdje bij Helen wo...'

'Het is dus echt voorbij?'

'Ja, Bob. Het is...'

Hij hangt op, zodat hun gesprek – net als hun huwelijk eigenlijk – abrupt wordt afgebroken.

Gezien de omstandigheden, vindt ze, ging het gesprek best goed. In elk geval weet ze nu dat hij nog leeft, en de woede in zijn stem is een goed teken: een bewijs van zijn vechtlust die hij nodig zal hebben om zelf zijn weg door de puinhopen te vinden.

70

De tocht naar Carols huis is veel aangenamer nu Albert weet waar hij naartoe moet. Onder het lopen oefent hij nog een laatste keer wat hij wil zeggen: 'Hallo, Carol. Ik heet Albert. Ik heb een van je brieven ontvangen, en ik wilde je even bedanken.'

Dat klinkt aardig en positief. Hij heeft zelfs zijn meest geliefde brief bij zich, alleen maar als bewijs. Hij hoeft haar niet te vertellen dat hij al haar andere brieven ook heeft gelezen; dat hij op de hoogte is van haar vervelende jeugd bijvoorbeeld, of dat haar man een testikel kwijt is. Het zal voldoende zijn om haar te vertellen dat ze hem heeft geïnspireerd en hem iets heeft gegeven waar hij in kan geloven. Dat is de juiste basis voor een goede vriendschap.

Als hij de hoek omslaat en haar doodlopende straat in loopt, merkt hij dat hij zijn adem inhoudt. Toen hij in het ziekenhuis lag, verbeeldde hij zich dat Carol en haar buren allemaal zouden bedenken dat ze liever ergens anders wilden wonen. Dat ze niet alleen wilden verhuizen, maar ook hun huis wilden slopen. Daarom had Albert half verwacht dat hij alleen maar platgetreden aarde zou zien, waardoor alle hoop Carol ooit nog te vinden in rook opging.

Maar nee, alles ziet er nog net zo uit als eerst. De vlag wappert nog steeds hoog boven de wijk, hoewel nu al behoorlijk gehavend; de tuinen zien er nog steeds klein en goed onderhouden uit; en daar staat Carols huis, nu met een auto op de oprit.

Met een doelbewuste pas die hij thuis al talloze keren heeft geoefend, loopt Albert naar het huis en drukt op de bel.

Even later doet Bob de voordeur open, onverzorgd, met rode en gezwollen ogen. Hij blijft zwijgend staan, kennelijk in de verwachting dat Albert wel iets zal zeggen.

'Is Carol thuis?'

Bob begint te huilen.

'Het spijt me,' zegt Albert.

'Nee, het is alleen...' Bob kijkt naar de jas. 'Wat wilt u?'

'O, ik... Ik werk bij de post. Het gaat om een paar van Carols brieven.'

Bob rilt van de kou. 'U kunt maar beter even binnenkomen.'

Als Albert het huis binnenstapt, is het wel duidelijk dat er iets mis is. Alle gordijnen zijn dicht en de vloer ligt bezaaid met troep.

Bob loopt naar de woonkamer, zich kennelijk totaal niet bewust van de puinhoop. 'Mijn vrouw heeft me verlaten,' zegt hij en hij laat zich op een stoel vallen. Hij begint weer te huilen. 'Ik... Ik weet niet wat ik moet doen.'

Albert kijkt even naar hem. 'Ik ben ook eens iemand kwijtgeraakt van wie ik hield,' zegt hij vriendelijk. 'Dat is al heel lang geleden, maar ik begrijp hoe u zich voelt.' Hij weet niet of Bob hem heeft gehoord.

Bob zit in elkaar gedoken in zijn stoel, en zijn wangen zijn nat van de tranen.

Tijdens de lange stilte die hierop volgt, ziet Albert dat hij naast een plank staat met zoveel bekers en getuigschriften van Sophie erop dat ze in de toekomst waarschijnlijk de wereld zal regeren. Tussen alle foto's van een jong meisje dat van alles wint, staat er maar één foto van een vrouw van Carols leeftijd. Ze ziet er anders uit dan hij zich had voorgesteld, ze lijkt totaal niet op een Connie: ze heeft een alledaags gezicht. Ze is een van de vrouwen die hij dagelijks in de bus ziet, in de supermarkt, bij de bank.

Ze kijkt naar hem, en haar bos ongetemd haar omlijst een gezicht met een enigszins wanhopige blik, alsof de camera een gruwelijke vergissing heeft vastgelegd: dat zij op de verkeerde plaats is te midden van de verkeerde mensen.

Albert kijkt beter, geconcentreerd. Natuurlijk, haar handen liggen in haar schoot en ze heeft haar vingers gekruist.

'Zeg nog eens waarom u hier bent?' vraagt Bob, terwijl hij met zijn mouw over zijn gezicht wrijft.

'Uw vrouw eh... Ze heeft een paar brieven geschreven... Een paar weken geleden... Maar die waren onbestelbaar.'

'Dus u komt ze terugbrengen of zo?'

'Eh... Nee.' Albert stopt zijn hand in zijn zak en duwt de brief nog verder naar beneden. 'Ze zijn vernietigd.'

'Wat zijn ze?' vraagt Bob, kwaad nu.

'Dat is de standaardprocedure.' Albert hoort de angst in zijn stem. 'Ik wilde haar gewoon even vertellen hoe ze dat in de toekomst kan voorkomen.'

Heel even lijkt het alsof Bob een scène wil schoppen. Albert kan zich goed voorstellen dat de situatie uit de hand loopt, helemaal tot aan Darren, of tot in de top van het bedrijf.

Maar nee, Bobs verdriet is te heftig. Zijn verdriet veegt de vechtlust van zijn gezicht. 'Nou ja, het is nu te laat, hè? Ze zei al dat ze hier nooit meer zal komen wonen.'

Albert probeert een opbeurende opmerking te verzinnen, maar er schiet hem niets te binnen. 'Nou, ik moet maar eens opstappen,' zegt hij zacht.

Hij wacht op een antwoord, maar Bob zit roerloos in zijn stoel naar de grond te staren.

Als Albert zich omdraait, kijkt hij nog één keer naar Carols foto. Hij glimlacht vriendelijk naar haar, blij dat ze elkaar eindelijk hebben ontmoet.

71

Carol vindt het gemakkelijker Athene zijn tekortkomingen te vergeven nu ze die van zichzelf begint te vergeven.

Er is maar één heuvel die boven de stad uittorent en ze besluit spontaan hem te beklimmen. Het voelt niet goed om dit te beschouwen als het bezoeken van bezienswaardigheden, daarvoor is alles nog te vers. Dit is een lichamelijke inspanning, misschien zelfs een soort therapie. Mensen met problemen horen dit soort dingen immers te doen?

Even later loopt ze door verraderlijk steile straatjes en heeft ze het gevoel dat de heuvel in de verte haar uitlacht. Als ze dit niet eens voor elkaar krijgt, haalt ze de top zeker niet. Tegen de tijd dat ze een bordje ziet dat de weg wijst naar een kabelspoorweg is haar voornemen de heuvel te beklimmen allang in rook opgegaan. Omdat ze ervan overtuigd is dat ze het slachtoffer is van de Griekse luchtvervuiling en niet van jarenlang slecht eten en onvoldoende beweging, is het geen moeilijk besluit om de trein te nemen. Terwijl de trein haar rustig naar boven brengt, met een stijgingspercentage dat haar dood zou hebben betekend als ze dit te voet had willen doen, troost ze zichzelf met de gedachte dat ze al genoeg fysieke inspanning heeft verricht om heel veel endorfine aan te maken en dat het geen enkele zin heeft nog meer te willen.

Carol wacht nog steeds tot de trein de tunnel verlaat als hij de top heeft bereikt en de andere passagiers uitstappen. Maar als ze het station uit loopt, voelt het niet goed dat ze hier in een baarmoederachtige betonnen tunnel naartoe is gekomen: haar tocht door het hart van de berg was niet zozeer een treinreis als wel een proces van persoonlijke transformatie, een reis die haar letterlijk en figuurlijk naar een hogere plaats heeft gebracht. Vanaf dit uitzichtpunt spreidt Athene zich in elke richting uit en heeft Carol een intrigerend uitzicht op de heuvels en de zee in de verte. De stad is niet helemaal zoals zij het zich had voorgesteld, maar na de afgelopen dagen – om niet te zeggen de afgelopen twintig jaren – had ze een dergelijke ontdekking wel kunnen verwachten. Zelfs te midden van zijn littekens en teleurstellingen heeft Athene een bepaalde magie, dat ziet ze nu ook wel. En in het centrum van alles verheft het Parthenon zich op zijn rotsachtige voetstuk.

Ze probeert zichzelf te dwingen zich niet al te gelukkig te voelen. Ze is immers een afschuwelijke vrouw die afschuwelijke dingen heeft gedaan, als echtgenote en als moeder. Maar dan kijkt ze naar het uitzicht en krijgt ze toch een heel blij gevoel.

Het uitzicht is zelfs nog etherischer als ze zigzaggend de beboste helling van de heuvel afdaalt. Af en toe ruikt ze wilde salie en tijm, geuren die ze tot nu toe alleen uit flesjes en plastic zakjes kende.

Het is moeilijk om dit in overeenstemming te brengen met de uren die ze bij de stelling met kruiden en specerijen van een supermarkt in Croydon doorbracht. Hoe onwaarschijnlijk het ook klinkt, ze is de soort vrouw aan het worden die ze altijd wilde leren kennen. Geen vrouw die kruiden gebruikt tijdens het koken, maar iemand die daar gewoon tussendoor loopt, geëmancipeerd en vrij. Ze vindt het tegennatuurlijk dat dit het echte kenmerk van het leven is, dat een ogenschijnlijk eenvoudige daad – uit een ongelukkig huwelijk stappen bijvoorbeeld – tientallen jaren kan kosten, terwijl iets ongelofelijk ingewikkelds als een persoonlijke transformatie ondergaan maar een paar dagen in beslag neemt.

Dit is iets wat ze zou willen uitschreeuwen, zodat voorbijgangers blijven staan en ze hun dit verhaal kan vertellen, over het jezelf opnieuw uitvinden, over de ontdekking van een hoop die volgens haar uitgestorven was. Meer dan wat ook wenst ze dat haar vader haar nu kon zien, dat hij kon zien wat voor vrouw ze aan het worden is. In gedachten ziet ze zijn lippen opkrullen, wat in zijn roerloze leven doorgaat voor een glimlach, het bewijs dat hij ergens diep vanbinnen zijn vuisten in de lucht steekt en van de daken wil schreeuwen dat zijn dochter eindelijk volwassen is geworden, dat het meisje dat zichzelf jaren geleden is kwijtgeraakt zichzelf eindelijk heeft teruggevonden.

Zelfs nadat ze het bos heeft verlaten en weer door de stad met druk verkeer wandelt, loopt Carol met een verende tred, verbazingwekkend op haar gemak te midden van deze chaos. Dit is haar stad, niet ondanks zijn onvolkomenheden, maar juist daardoor. Er zijn fouten gemaakt, dingen die mooi hoorden te zijn, zijn dat niet en toch gaat het leven door. Voor iemand als Carol is er troost in deze straten.

Als ze een hoek omslaat en ze het Parthenon weer ziet, is haar glimlach veelzeggend. Haar leven heeft een totale ommekeer ondergaan en alles is weer mogelijk.

72

Ze was verbaasd toen ze hem kreeg. Natuurlijk stond haar naam wel op de envelop, begon de brief met de woorden 'Lieve Sophie' en was elke regel in een keurig handschrift geschreven, maar toch had ze geen idee van wie hij was.

Ze wilde haar vader vragen of hij ooit van Albert had gehoord, maar de weken na Carols vertrek waren niet echt geschikt voor een gesprek met Bob. Daarom las ze de brief steeds weer, en probeerde ze Alberts exacte positie binnen de troebele familieverhoudingen te bepalen.

Hij was op de hoogte van bepaalde aspecten van het huwelijk van haar ouders, en op een subtiele manier verdedigde hij Carol in een periode waarin ze maar weinig medestanders had. Maar vooral zijn bezorgdheid bracht Sophie in verwarring. Deze man – iemand die ze nooit had ontmoet, van wie ze zelfs nog nooit had gehoord – vroeg haar of het goed met haar ging. En het probleem was dat het dus niet goed met haar ging, dat het eigenlijk al jaren niet goed met haar ging en op de een of andere manier was het gemakkelijker om dat tegen een totale onbekende te zeggen.

En daarom schreef ze hem terug.

Juist vandaag denkt ze aan Albert. Hoe hun briefwisseling is begonnen. Hoe de jaren langzaam de afstand en de stijfheid wegnamen tussen hen: een jong meisje dat evenveel behoefte had aan een vriendelijke opa als hij behoefte had aan een eigen familie.

Daar denkt ze aan als ze samen met haar man en twee zoontjes bij een graf staat, en haar echte opa wordt begraven. Hoewel ze verdriet probeert te voelen als de kist in de aarde zakt, voelt ze alleen maar opluchting, voor hem. Een winderig kerkhof vlak bij Gatwick is niet bepaald de ideale rustplaats, maar hij had ook geen ideaal leven. Het is ergens wel een troost dat een man die tijdens zijn leven onder Deirdres aanwezigheid heeft geleden nu hij dood is waarschijnlijk geen probleem heeft met het constante gebrul van de vliegtuigen.

En dan begint het te regenen, eerst langzaam, amper merkbaar. Maar als alweer een vliegtuig met veel kabaal over hen heen vliegt, begint het harder te waaien en komt de regen algauw van opzij. Heel even staat Deirdre stil, ziet ze er breekbaar en wanhopig uit, alsof ze niet meer in staat is het verschil te zien tussen het weer en haar eigen gevoelens. Sophie en Carol leiden haar naar een van de wachtende auto's, waarna de paar rouwenden achter hen zich verspreiden.

Als ze allemaal bij Deirdre thuis zijn, hangt er een neerslachtig gevoel van kameraadschap, de algemene overtuiging dat ze het ergste achter de rug hebben en dat de dag misschien nog kan worden gered door een glas sterke drank en wat warm eten.

Bob is er om hen te condoleren, hoewel het een beetje vreemd is hem zonder zijn vrouw te zien. Meestal is ze meer een soort aanhangsel dan een echtgenote. Misschien is ze niet meegekomen omdat ze Carol dan zou zien, of misschien is ze gewoon verstandiger dan iedereen denkt. Er is immers geen enkele reden om naar de koude, natte begrafenis te gaan van iemand die je niet eens kent.

Nu zij er niet bij is, staan Bob en Carol langer met elkaar te praten dan ze in jaren hebben gedaan. Sophie kijkt naar hun lichaamstaal, ze kan zich de verbittering nog goed herinneren die hun ontmoetingen altijd kleurde. Maar nu ziet ze alleen maar twee trotse grootouders die elkaar heel goed kennen, of ze dat nu leuk vinden of niet.

Bob is dikker geworden en met zijn grijze haar heeft hij wel iets weg van een vrolijke kerstman. Vergeleken met hem is Carol een leeftijdsloze fee, een vrouw die er nu ze de vijftig gepasseerd is gezonder en levendiger uitziet dan op jongere leeftijd ooit het geval is geweest.

Carols man – een beeldhouwer die beroemd aan het worden is – zit samen met Deirdre aan de andere kant van de kamer. Ze zwijgen eerbiedig en aan Deirdres gezicht is te zien dat ze zich zojuist heeft gerealiseerd hoe haar eigen begrafenis eruit zal zien.

Helen is er met haar tweede echtgenoot, een man van in de zestig die meestal een korte broek en wandelschoenen draagt. De familie zegt vaak voor de grap dat Helens natuurlijke leefomgeving dankzij zijn passie voor het buitenleven nu een modderige akker is; dat haar idee van een etentje koude *baked beans* op een plastic bord is. Het klinkt ongelofelijk, maar zelfs Jane en haar kinderen gaan soms mee als ze gaan kamperen. Haar puberale agressie heeft lang geleden plaatsgemaakt voor een onopvallende persoonlijkheid. Toch lijkt Helen dolgelukkig met deze omslag; niet omdat Jane iets bijzonders heeft bereikt, maar omdat ze nu in de anonimiteit is verdwenen, iets wat toen ze nog een tiener was onmogelijk leek.

Sophie verheugt zich er nu al op dat ze dit allemaal aan Albert kan vertellen, de volgende keer dat ze hem ziet. Dat ze hem kan bijpraten over al deze mensen, van wie hij de meesten ook heeft ontmoet. Ze moet nog altijd glimlachen als ze terugdenkt aan de keer dat ze hem eindelijk aan Carol voorstelde. Dat ze toen zei: 'Mam, dit is Albert. Op een bepaalde manier kennen jullie elkaar al...'

Albert is nu een jaar of vijfentachtig, en af en toe herinnert hij Sophie eraan dat ook zijn leven bijna ten einde is. En als ze dan tegen hem zegt dat hij dat soort dingen niet moet zeggen, kijkt hij haar glimlachend aan. Met dezelfde glimlach waarmee hij haar alles over acceptatie en vergeving heeft geleerd. Hij zegt dat het een heerlijk leven is geweest, maar dat hij uiteindelijk echt moet gaan omdat hij een afspraak heeft. Een afspraak met een knappe vrouw die hij al heel lang niet heeft gezien.